Deive Leonardo

o amor Mais Louco da história

Prefácio por
Tiago Brunet

Deive Leonardo

o amor Mais Louco da história

Prefácio por
Tiago Brunet

Todos os direitos deste livro são reservados pela
Editora Quatro Ventos.

Editora Quatro Ventos
Rua Liberato Carvalho Leite, 86
(11) 3746-8984
(11) 3746-9700

Proibida a reprodução por quaisquer meios, salvo em breves citações, com indicação da fonte.

Todas as citações bíblicas e de terceiros foram adaptadas segundo o Acordo Ortográfico da Língua Portuguesa, assinado em 1990, em vigor desde janeiro de 2009.

Todas as citações bíblicas foram extraídas da Almeida Corrigida Fiel, salvo indicação em contrário.

Editor Responsável: Renan Menezes
Equipe Editorial:
Sarah Lucchini
Eliane Viza B. Barreto
Diagramação: David Chaves
Capa: Big Wave Media

Bíblia Sagrada. Traduzida em português por João Ferreira de Almeida. Revista e Atualizada. Citações extraídas do *site*: http://biblia.com.br/joao-ferreira-almeida-corrigida--revisada-fiel. Acesso de 10 a 30 de setembro.

1ª Edição: Outubro 2018
1ª Reimp.: Janeiro 2019

Ficha catalográfica elaborada por Geyse Maria Almeida Costa de Carvalho – CRB 11/973

L581a Leonardo, Deive.

O amor mais louco da história / Deive Leonardo. -
São Paulo: Quatro Ventos, 2018.
192 p.

ISBN: 978-85-54167-05-9

1. Religião. 2. Amor de Deus. 3. Desenvolvimento espiritual. 4. Desenvolvimento pessoal. I. Título.

CDD 233.7
CDU 2-9

Sumário

CAP 1 - CEGUEIRA 21

CAP 2 - A CASA DO PAI 37

CAP 3 - SEGUNDA CHANCE 51

CAP 4 - FASES DA VIDA 71

CAP 5 - CARÊNCIA 85

CAP 6 - CONHECER A DEUS 97

CAP 7 - MEMÓRIAS QUE DOEM 123

CAP 8 - O JUMENTO ENTENDEU 139

CAP 9 - NÃO ESCUTO DEUS 155

CAP 10 - IMPRUDENTE AMOR 173

Endossos

Deive, para mim, tem revolucionado a arte da pregação com sua vitalidade manifesta não só através do discurso falado, mas também da expressividade e envolvimento de corpo, alma e espírito. Sua forma sincera e vulnerável de comunicar a Verdade é só um reflexo do compromisso pessoal que ele tem com a Palavra. Vai além dos púlpitos e, com certeza, até mesmo o YouTube é pequeno demais para o que ele carrega. Que este livro possa transformar a sua maneira de enxergar e viver o Amor Mais Louco da História.

PRISCILLA ALCÂNTARA
Cantora e fundadora do Até Sermos Um - ASU

Estou muito animada por essa nova etapa na vida do Deive. Eu o conheci através de seus vídeos fortes e profundos no *YouTube*, que, além de tocar muito o meu coração, tem tocado e transformado a vida de milhares de pessoas em nossa geração. Tenho certeza que este livro nos alimentará muito mais e nos trará novas revelações do Amor Mais Louco da História. Deive, glória a Deus por você e sua família. Vocês são muito especiais.

MAJU TRINDADE
Youtuber e Modelo

Conheci poucos jovens neste país que tivessem uma voz tão alinhada com o coração de Deus para esta geração como o Deive. Eu o admiro não apenas nos púlpitos, mas, principalmente, fora deles. Seu amor por sua família, sua entrega e lealdade à sua esposa, sua maneira de amar e honrar o seu filho, me fazem perceber que Deus o escolheu de maneira muito singular e especial em uma geração tão carente de referências. Não conheço nada que o Deive tenha feito que não tenha me aproximado mais de Deus. Inclusive, uma característica que me faz admirá-lo cada vez mais é a sua paixão por Jesus. Eu recomendo que você abra o seu coração, se conecte ao que Deus falará com você através deste livro, e prepare-se para viver os melhores dias da sua vida.

FELIPPE VALADÃO
Pastor da Igreja Batista da Lagoinha

Deive Leonardo é, para mim, o melhor comunicador do Evangelho dos nossos dias. Eu nunca vi ninguém que comunicasse Jesus de forma tão simples e fácil de entender como ele. Além de ser um mestre na comunicação do Evangelho, ele tem sido o exemplo de pai e marido que eu quero ser. Este livro, sem dúvida nenhuma, lhe arrancará choros, risadas, suspiros, arrepios e muita paixão por Jesus. Prepare-se para ler sobre Jesus e Seu amor como nunca antes. E não esqueça do lenço, você vai precisar.

VICTOR AZEVEDO
Fundador e Pastor Sênior da Igreja Por Amor

Dedicatória

Dedico este livro à minha linda esposa, Paulinha Leonardo. Você é parte da loucura de amor que Deus fez por mim.

E ao meu filho, João Leonardo, um pedaço do Céu que recebi na Terra.

Agradecimentos

A Jesus, em primeiro lugar, o maior amor da minha História.

À minha mãe Luciane, por me sustentar em oração desde sempre.

Ao meu pai Amilton, por ser uma voz de comando sobre a minha vida.

À minha doce Paulinha Leonardo e ao meu príncipe João. Vocês me ensinam todos os dias.

À toda equipe da Editora Quatro Ventos, principalmente Renan Menezes e Sarah Lucchini, que acreditou neste material.

A todos que contribuíram para que este livro se tornasse realidade, seja na diagramação, capa, divulgação ou distribuição. Parabéns por todo o trabalho!

Prefácio

O amor é uma loucura. E sobre isso não há muito o que contestar, porque a realidade fala por si só. Amar é sofrer pela ausência de quem se ama, sentir a mesma dor da pessoa amada. Amar é querer que o outro saia na frente sem se importar com quem chegará primeiro. Aliás, competição é uma das palavras que não cabem no vocabulário do amor, assim como a intolerância, a indiferença e o preconceito. O amor é o atalho para a eternidade; o melhor caminho para conhecermos a Deus.

Quando me casei com Jeanine, achava que era por amor, mas, na verdade, descobri que foi por fé. Fé de que iria conseguir pagar as contas, de que tudo daria certo... fé, fé e fé... E nisso o amor foi sendo construído, enquanto empreendíamos essa aventura divina que é o casamento.

Porém, ainda que tenhamos muito para falar a respeito de amor, a verdade é que não sabemos dimensionar este sentimento. Isso porque não é possível dizer que se ama sem estar disposto a morrer por esse alguém. E é isso o que 1 Coríntios 13, uma das melhores definições sobre o tema, diz:

> O amor tudo crê, tudo suporta, tudo espera. O amor não é soberbo, não arde em ciúmes...

E por aí vai... é de chorar!

Sabe o que mais me enlouquece quando o assunto é amor? Viajei dezenas de países e estudei muitas religiões: o budismo e filosofias asiáticas no Japão e China, o Islã no Oriente Médio, o hinduísmo na Índia, o judaísmo em Israel. Entretanto, mesmo tendo contato com tantas perspectivas e realidades diferentes, ainda me assombro, porque NADA se compara ao amor segundo Jesus de Nazaré. É loucura demais!

Para Ele, amar era perder a própria vida para que outros a ganhassem. Para Ele, amar era dar a outra face caso alguém lhe batesse. Era dividir a túnica, a comida e sempre fazer mais do que lhe fosse pedido. Ninguém amou tanto e demonstrou uma forma de amar tão pura, genuína e incondicional como Jesus. Tudo que vi em filósofos, seitas, religiões e tradições antigas são apenas cópias baratas do amor original. E é por isso que, com convicção, deixo o simples convite: experimente!

Ame como Ele amou e você perceberá que seus problemas irão acabar.

E se a sociedade imitar você? Não haverá mais brigas e separações nos casamentos, nem guerras no mundo, nem maldade contra crianças e pessoas indefesas.

O amor de Cristo é uma loucura, por isso este mundo tem tanta dificuldade de vivê-lo. Não há como raciocinar um amor sobrenatural como este. Porque amar significa perdoar e doar, duas palavras que ainda temos muito que aprender a respeito. E o mais incrível é que, além de ser nosso modelo e maior exemplo de amor, Jesus não nos ama por ter muito amor para distribuir, mas porque Ele é amor, e, por isso, pôde se entregar por todos nós. Ele, o Rei dos reis, se esvaziou e se deu por nós e para nós:

> Ninguém tem o poder de tirar minha vida, eu mesmo a dou.
> (Joao 10.18)

E foi por causa desse amor que conheci o Deive. Hoje, pela graça de Deus, ele é uma voz do amor de Cristo nesta geração. A primeira vez que o vi falar de Jesus, meu coração disparou. "Será?", pensei. "Será que agora teremos alguém que possa comunicar publicamente o amor de Jesus da forma que Ele realmente é?". Sim! Era o Deive. Passei madrugadas escutando suas pregações e me aproximando mais do Amor. Suas mensagens estão inspirando uma geração e fazendo com que todos que o escutem entendam um pouco mais sobre *O Amor Mais Louco da História*.

Este livro vai alinhar sua vida com o único amor que jamais irá decepcioná-lo, o verdadeiro amor que lança fora todo o medo (1 João 4.18b).

Com coragem e ousadia, eu lhe encorajo a começar esta leitura sabendo que você não será o mesmo quando estiver nas últimas páginas. Que enquanto você lê este livro possa receber ainda mais a revelação de que o Amor nunca lhe deixou e jamais o deixará. (Mateus 28.20b)

Boa leitura a todos!

Tiago Brunet

Escritor dos best sellers:

"Descubra o Seu Destino"
"O Maior Poder do Mundo"
"12 Dias para Atualizar a Sua Vida"

Introdução

O amor é unânime. Consenso. Não existe nada mais popular no mundo do que ele. Sobre o amor cantamos, escrevemos, poetizamos, por ele lutamos. Isso porque, talvez, ele seja o que mais buscamos na vida, afinal de contas, todo mundo quer ser amado e ter alguém para amar. Temos sede de amor, e a verdade é que não o queremos por acaso, mas porque fomos feitos para essa finalidade. Nascemos para amar e sermos amados. Esse é um dos nossos desejos mais primários, e quando ele, de alguma maneira, é frustrado, tudo se torna disfuncional dentro de nós. Então, podemos nos decepcionar e acabar até mesmo nos fechando para o amor, mas nunca perderemos a nossa essência e o anseio de sermos encontrados por ele.

Geralmente, o amor se apresenta cedo e se desenvolve conforme amadurecemos. Pode ser cultivado pela família, amigos, por casais apaixonados e na relação afetiva dos donos com seus animais domésticos. Ele pode se manifestar pela pátria, por coisas e também por momentos, o que torna bem difícil a possibilidade de alguém não ter, pelo menos, uma vaga definição de amor internalizada. Contudo, a nossa tendência é adaptar o seu conceito de acordo com nossa cultura, história de vida, e até mesmo pelo que consumimos de literatura e cinema. Assim, construímos nossas versões e teorias sobre o que ele é e com o que se parece, mas isso não quer dizer que ele seja assim. Sinceramente, acredito que a maior parte das coisas que defendemos como amor não tem nada a ver com ele. Provavelmente, porque a nossa visão limitada nos condiciona a pensar que o amor só é possível se a reciprocidade existir ou se for alimentado constantemente por algum tipo de combustível. Mas isso não é verdade. Quero dizer, não se estivermos falando do amor humano. Este, mesmo em sua maior intensidade, é suscetível ao fracasso, e nem se se esforçasse ao máximo seria capaz de se doar sem barreiras. Amamos "quando", "se" e "porque". O nosso amor é carente, limitado, finito.

Até mesmo as histórias de amor mais famosas que já ouvimos ou lemos a respeito tiveram um fim. A maioria delas, trágicas. [1]Romeu e Julieta; [2]Tristão e Isolda; [3]Jack e Rose, em *Titanic*. O que todos esses romances tinham em comum era mais do que apenas o amor, porque foi a impossibilidade de desfrutarem desse amor em vida que, possivelmente, os tornou ainda mais reconhecidos. Romeu e Julieta, o casal mais popular do mundo, não foi capaz de permanecer junto por não ter autorização para amar. Com Tristão e Isolda, a mesma coisa. Já o casal de *Titanic* acabou separado pelo medo de um morrer

---

[1]Personagens centrais do romance Romeu e Julieta, de William Shakespeare.

[2]Personagens centrais da lenda celta do século IX (Nota do Editor)

[3]Personagens do filme *Titanic*, de James Cameron

em detrimento do outro, ainda que houvesse espaço para os dois naquela porta. A morte tornou o amor efêmero e colocou um ponto-final. O passageiro, quando se relaciona com o que é passageiro, acaba. Mas existe um amor eterno, que não tem fim. Um amor que não depende de reciprocidade, combustível ou razão. Se Deus é amor, talvez a nossa opinião sobre esse tema devesse tê-lO como único padrão, já que Ele não ama porque precisa, como nós, mas porque Ele mesmo é o próprio amor. A Fonte de amor verdadeiro ama. E por nos amar, Ele entregou o Seu Filho à morte para garantir que nunca mais teria de viver longe de nós; para garantir que a morte não poderia mais colocar um fim à nossa história de amor com Ele. E é exatamente quando isso acontece que o sobrenatural entra em ação, porque, quando o passageiro se relaciona com o eterno, ele se torna eterno também. O Amor redefiniu o significado do verbo amar. E contra fatos não há argumentos: este, certamente, é **o amor mais louco da história**. E o é não porque está de acordo com o mais alto padrão humano que conhecemos ou que alguém poderia chegar, mas porque veio do Céu.

Qualquer tipo de amor que não for o divino é, na melhor das hipóteses, apenas um susto, para não dizer ingênuo. Deus, apesar de Sua majestade e grandeza, escolheu nos presentear com Ele mesmo. O sacrifício de Jesus e, logicamente, a Sua ressurreição não foram o fim, mas apenas o começo da história de amor que todos temos a chance de viver; e é sobre isso que este livro se trata.

Nestas páginas, conheceremos mais a respeito das multifacetas desse amor, ou seja, as diversas formas que o amor de Deus assume para nos encontrar e trazer de volta para casa. Em cada capítulo, conversaremos também sobre como podemos chegar mais perto dele e como, mesmo que não percebamos, ele é capaz de demonstrar o coração ansioso de Deus por um relacionamento de amor conosco.

    Que este livro seja uma fonte de revelação, cura e empoderamento, levando você a assumir, de uma vez por todas, a sua identidade como filho ou filha amada de Deus e o relacionamento com o Único que pode ensinar-lhe o verdadeiro significado do verbo amar. Que, ao final, você descubra que o alvo do Amor mais louco da história sempre foi você.

CAPÍTULO 1

Cegueira

Dizem que o pior tipo de cegueira é a mental, porque não nos permite reconhecer o que está bem diante dos nossos olhos. Quando se instala, delata a falta de visão e estado de inércia que se encontram aqueles cujas mentes estão fechadas. Com isso, a menos que deixemos espaço para o confronto vindo de uma constante renovação de nossa mente, padrões de pensamento e perspectivas, a tendência é continuarmos cegos; cegos que veem, mas, mesmo vendo, não veem.

O próprio Jesus, nos evangelhos, ensinava a respeito desse tipo de cegueira, comunicando-se, inclusive, por meio de parábolas:

> ... porque eles, vendo, não veem; e, ouvindo, não ouvem nem compreendem. Porque o coração deste povo está endurecido, e ouviram de mau grado com seus ouvidos, e fecharam seus olhos; Para que não vejam com os olhos, e ouçam com os ouvidos, e compreendam com o coração, e se convertam, e Eu os cure. (Mateus 13.13-15)

A cegueira sucede de um coração endurecido. Um coração que, aos poucos, passa a se embriagar com pequenas doses de egoísmo, ganância, outros tipos de hedonismo e uma busca disfuncional por autossatisfação. Uma situação que, sem freio, pode se tornar um estilo de vida. Talvez uma das maiores diferenças entre cristãos e não cristãos esteja na capacidade de enxergar com os olhos espirituais, e não apenas carnais, o que, definitivamente, não quer dizer que, só porque uma pessoa diz seguir a Jesus, ela terá olhos espirituais apurados. Tudo depende do relacionamento com Ele. Qualquer pessoa, mesmo dentro da Igreja, é suscetível a estar debaixo do jugo da cegueira. Aliás, muitos têm caído no erro de pensar que, por frequentarem uma Igreja, são mais esclarecidos espiritualmente e, por isso, de alguma forma, são melhores ou superiores aos outros, e esse talvez seja um dos estágios mais avançados de cegueira espiritual. É por esse motivo que a renovação de nossa mente é tão essencial em nossa caminhada cristã, porque o fato de estarmos em pé não quer dizer que nunca iremos cair.

A Bíblia é recheada de narrativas que ilustram a cegueira dos olhos e mentes de muitas pessoas, mas talvez nenhuma delas seja como a de Mateus 27, versos de 3 a 5:

> Então Judas, o que o traíra, vendo que (Jesus) fora condenado, trouxe, arrependido, as trinta moedas de prata aos príncipes dos sacerdotes e aos anciãos, dizendo: Pequei, traindo o sangue inocente. Eles, porém, disseram: Que nos importa? Isso é contigo. E ele, atirando para o templo as moedas de prata, retirou-se e foi-se enforcar.

Essa, talvez, seja a pior história da Bíblia. Isso porque aponta a trajetória de alguém que Jesus amou e cuidou durante três anos e que, por fim, destroçou tudo o que havia construído graças a uma traição. A traição é sempre dolorida, não simplesmente pela consequência final que acaba gerando, mas porque se desenvolve através de episódios repetidos de mentira, em que aquilo que estava sendo feito é escondido, forjando uma comunhão que já não existia mais.

Assim como qualquer pessoa, desde sempre, aprendi a não gostar da figura de Judas. O seu nome por si só é sinônimo popular de deslealdade e falta de caráter em qualquer lugar do mundo. Não importa qual seja a sua religião ou crença, todo mundo sabe que chamar alguém de Judas é o mesmo que apelidar essa pessoa de falsa, traidora, fofoqueira, covarde ou inimiga. Judas não é um nome, mas uma acusação. Com certeza, depois de Satanás, Judas é a pessoa que mais temos propensão a odiar na Bíblia, afinal ele foi o discípulo que de uma só vez conseguiu trair o seu melhor amigo, mestre e filho de Deus. E, ainda por cima, por dinheiro. Isso faz com que seja praticamente impossível desenharmos uma boa imagem dele ou desejarmos, de alguma forma, nos relacionar com essa imagem, já que aquilo que fez no final descreditou completamente tudo de correto que ele tinha feito no começo. Judas pode até ter sido um bom discípulo durante o tempo que andou com Jesus, mas ninguém nunca soube, porque na noite em que O entregou à morte, ele desvalidou todas as suas boas obras. A sua traição se tornou o seu único legado.

Isso nos prova que não seremos lembrados pela forma como começamos, e sim como terminamos. O fim de Judas foi terrível, não apenas por causa de sua morte, mas porque ele, ao final de tudo, percebeu que não precisava de dinheiro, ele precisava de Jesus. Mesmo depois de tantos anos andando dia e noite com o Mestre, ele ainda não havia entendido aquele amor da forma correta. Por isso, ainda que em certa altura tivesse se arrependido, ele não sabia o que fazer com aquele arrependimento, porque não havia entendido o amor por trás de Jesus. Ele andou com O Amado, mas não O amou. Andou com a Graça, mas preferiu a desgraça. Andou com Aquele que era a porta, mas preferiu não entrar por ela.

Muitas vezes, pelas coisas que passamos na vida, temos dificuldade de nos sentirmos amados e entender o quão efetivo o amor pode ser em nossa jornada, ainda mais quando nos referimos ao amor de Deus. Porém, quando estamos cegos, além da ausência de visão, perdemos também a percepção sobre as coisas, o que nos faz olhar para a nossa realidade e não conseguir ver o que precisamos, e sim apenas o que queremos. A cegueira nos confunde e coloca os nossos olhos nas coisas erradas, então passamos a buscar descontroladamente os nossos desejos, e não aquilo que verdadeiramente temos necessidade. O que precisamos de fato é sermos amados, ainda que não queiramos admitir. Apenas o amor é capaz de nos oferecer o que precisamos e não o que queremos. É preciso coragem para amar de verdade, porque isso implicará, diversas vezes, em dar e receber aquilo que nem nós nem o outro gostaria;

não porque damos algo ruim, mas porque oferecemos o que o outro realmente precisa, e vice-versa.

Quando penso nisso, sempre me lembro da minha mãe. Na época em que eu era pequeno e queria comer besteiras no café da manhã, almoço e jantar, ela não permitia, e ainda por cima enchia o meu prato com brócolis, arroz e feijão. Ela fazia isso porque sabia que, apesar do meu desejo de querer comer besteiras, o que eu precisava era de uma alimentação balanceada e saudável. Isso é amor. Imagine se ela tivesse me deixado comer tranqueiras em todas as refeições. Talvez hoje eu estivesse com problemas graves de saúde ou nem mesmo estivesse aqui. Mas essa é a beleza do amor: ele não é imediatista. Ele enxerga a longo prazo e, por isso, tem sossego em entregar o que é necessário, e não o que trará um prazer ou alívio imediato. É dessa forma que Deus nos ama.

O problema é que a cegueira também tem memória curta. Por causa da obsessão por desejos instantâneos, os cegos acabam enxergando vantagem em qualquer troca, desde que recebam o que, para eles, irá satisfazê-los. Este é Judas. No final das contas, por causa da cegueira, Judas havia esquecido a quantidade de amor que havia recebido de Jesus, e que ainda estava disponível para ele. Trocou tudo isso por moedas. Isso quer dizer que, às vezes, a estratégia do Inimigo não será fazê-lo pensar que o amor de Deus por você não existe, mas fazê-lo acreditar que existem coisas mais importantes e melhores para você; coisas que podem suprir essa carência. O que Satanás fez foi enganar Judas para que ele pensasse que precisava de dinheiro, sendo que o que ele precisava era reconhecer o amor que já estava recebendo; porque se tivesse feito isso, o diabo não teria legitimidade de agir nele e através dele.

A Palavra nos diz que, no momento em que Jesus foi condenado, Judas percebeu o que havia feito. Esse foi o gatilho que o fez entender a dimensão de sua escolha. Contudo, a Bíblia relata que ele, ao ver Jesus sendo condenado, arrependeu-se e decidiu devolver as moedas. O arrependimento trouxe cura para a cegueira de Judas. E, naquele momento, ele finalmente conseguiu enxergar não o preço, mas o valor da vida de Jesus. A impressão que eu tenho é que nós, seres humanos, precisamos de uma queda fatal para percebermos que estamos caminhando no erro. É como se estivéssemos em uma estrada, indo em direção a um precipício, e todos ao nosso redor dissessem: "Ei! Não vá por esse caminho, você irá cair!", e nós, mesmo não conhecendo aquela estrada, disséssemos: "Não! Não se preocupe! Está tudo bem!". Foi isso o que aconteceu com Judas. Ele estava traindo Jesus e todos à sua volta estavam dizendo: "Judas, não faça isso". Até mesmo o próprio Jesus alertou: "Alguém irá me trair", e Judas perguntou: "Por acaso sou eu?". Ele não estava somente insistindo no erro; ele estava cego.

A cegueira é sutil. Começa devagar, é silenciosa e parece não deixar rastros. Ela tem início com a nossa perda de foco e se desenvolve toda vez que nos conformamos com a falta de clareza e definição em nossas vidas. Quando permanecemos passivos ao fato de que não temos tanta nitidez sobre nossa identidade, propósito, relacionamentos, sonhos, fraquezas, dons e, o mais importante, a nossa revelação sobre quem Deus é para nós, estamos pouco a pouco nos acostumando a viver em meio à escuridão da ignorância. De capa a capa, a Bíblia constantemente nos alerta sobre o perigo de vivermos sem visão e conhecimento: "Onde não há visão, o povo perece" (Provérbios 29.18); "... porque o meu povo se perde por falta de conhecimento" (Oséias 4.6); "Se um cego conduzir outro cego, ambos cairão no buraco" (Mateus 15.14).

Hoje, muitas pessoas têm experimentado uma vida infeliz e sem esperança, e quando lhes perguntamos: "Como você está?", muitas respondem: "Está tudo bem!". A cegueira funciona assim. Todos percebem que existe algo errado, menos aquele que está cego, porque ele pensa conhecer o que está dentro de si e o que está diante de seus olhos. É como alguém que tem bafo. Dizem que quem tem bafo não sabe, o que é bem verdade. Alguns que estão por perto até alertam, mas outros se contentam em fazer caras e bocas, sem ter coragem de dizer o porquê. Esse é o problema: quando todos percebem, menos os que estão cegos. Muitos ficam tão preocupados com os erros e as questões dos outros que esquecem de olhar para si mesmos. Isso, combinado com a falta de renovação da mente e a falta de relacionamento com Cristo, pode ser mortal. Uma vez que a trava se instala em nossos olhos, se não for impedida, a tendência é o seu desenvolvimento desenfreado.

Judas teve a oportunidade de se arrepender e voltar atrás. Mas, apesar das muitas chances, ele estava cego. É triste lidar com pessoas que se encontram nesse estado.

Há alguns meses, eu estava ministrando em uma cidade do Brasil e me lembro que um jovem me procurou dizendo: "Pastor Deive, conheci o senhor no ano passado após uma ministração aqui, lembra de mim?". Eu olhei para ele e, com sinceridade, respondi: "Não, eu não me lembro". Mas ele insistiu: "Eu era barbudão e agora estou com a barba mais baixinha, o senhor não lembra?". "Não me lembro, mas por quê?", perguntei. O jovem, então, me disse: Quando o senhor esteve aqui, em um domingo no ano passado, eu tinha sido diagnosticado com um câncer no abdômen de 27 centímetros. Na segunda-feira seguinte àquele culto, eu iria fazer a cirurgia para retirar o tumor e já começar a quimioterapia. Mas o que eu não contei é que naquele domingo eu aceitei a Jesus como Salvador da minha vida, e me lembro que procurei o senhor no final e pedi para que orasse por mim, porque tinha fé de que Jesus podia me curar a ponto de não ter mais nada na cirurgia do dia seguinte. Então, o senhor orou por mim e aquilo fortaleceu a minha fé, e quando acordei na mesa de cirurgia na segunda-feira, depois de seis horas, todos os médicos estavam à minha volta, dizendo: 'Uau! Aqui no exame diz que você tem um tumor de 27 centímetros, mas quando nós te abrimos não tinha absolutamente nada!'. E eles continuaram: 'Olha, nós tivemos que tirar o seu apêndice para justificar a anestesia e a abertura, mas só porque tínhamos que fazer alguma coisa mesmo, porque você não tem câncer'". Assim que aquele jovem terminou de contar a sua história, eu o abracei e comecei a chorar, glorificando a Deus. Nós servimos a um Deus que ainda faz milagres extraordinários.

Entretanto, naquele mesmo dia, no momento em que estava descendo do púlpito, uma mãe me procurou e disse: "Pastor, a minha filha trouxe uma amiga para o culto e ela está com câncer...". Com o coração cheio de fé, mal deixei aquela mulher terminar de falar e respondi: "O quê!? Eu vou orar por ela e ela será curada!". Extremamente alegre, eu me dirigi à moça, contei a história de cura que aquele jovem tinha recebido de Jesus, mas, assim que me posicionei para orar por ela, senti um peso muito grande em meu coração, então disse: "Filha, eu preciso te perguntar. Você já aceitou a Cristo como Salvador da sua vida? Você já O reconheceu como Senhor e Salvador da sua vida?". E ela respondeu: "Não". Rapidamente, esbocei um sorriso e continuei: "Então, essa é a oportunidade que você tem". Fiz o convite, expliquei-lhe a respeito do plano da salvação, porém, quando lhe perguntei se ela gostaria de aceitá-lO, ela disse que não. Eu mal podia acreditar. Como estava impotente diante daquela situação. Aquela menina estava com câncer e havia acabado de ouvir uma história sobre um jovem que havia sido curado por Jesus da mesma enfermidade e, mesmo assim, ela respondeu: "Eu não quero esse Deus que cura pessoas do câncer. Eu prefiro o câncer a ter de abandonar o que eu estou fazendo! Pastor, eu não estou disposta a abrir mão das festas, dos meus amigos e de tudo o que eu vivo. Eu não estou disposta!". Naquele instante, a única coisa que eu me lembro é de ter fechado os meus olhos e orado: "Senhor, que a Tua misericórdia alcance essa menina! Que a Tua vontade seja soberana, em nome de Jesus". Aquilo dilacerou o meu coração.

Porque a nossa racionalidade nos faz pensar no que vem após um câncer que não é curado. Não que esse seja o meu desejo, é evidente que não, mas a lógica é que poucos dias mais tarde aquela menina poderia estar dentro de um hospital, em estágio terminal, e ela chamaria alguém, provavelmente, um pastor, e pediria: "Por favor! Ore por mim. Eu me arrependi!". Sabe o que é isso? Judas. Essa é exatamente a postura de Judas. Quando tudo acabou, Satanás abriu os olhos dele e disse: "Olhe! Olhe o que você fez!". Eu não sei o que o Diabo contou para ele, fazendo-o pensar que Jesus não seria condenado a partir de sua traição, mas assim que a venda foi retirada, ele olhou para Jesus e percebeu: "O que foi que eu fiz com O meu Amado?".

A Bíblia nos relata que, assim que se deu conta, pegou as trinta moedas de prata e tentou devolver o pagamento para os chefes dos sacerdotes, que disseram: "O que nós temos a ver com isso? Agora é contigo! Não queremos essas moedas, elas têm preço de sangue". Isso é o que Satanás faz todos os dias com milhares de pessoas. Quando o final chega e a esquina da vida se apresenta, a pessoa corre buscando saída, e é isso o que ela ouve: "Foi você que fez! A culpa é sua! Você caiu!". O Diabo nunca dirá que foi ele. Prova disso é Lucas 22.3, que diz que Satanás entrou em Judas, o que quer dizer que todo o plano foi guiado e arquitetado por aquele que usou de uma cegueira, resultado de uma brecha aberta.

O plano de Satanás é sempre o mesmo. Aliás, em toda a Bíblia, é possível perceber os seus métodos com diversas pessoas, inclusive com Adão e Eva no Jardim. O Diabo é o pai da mentira, então tudo o que ele faz é pautado por ela. Nós sabemos que Deus é a verdade absoluta e sempre diz a verdade, por isso, antes de mais nada, o que o Inimigo tentará fazer é abalar as verdades que existem dentro de nós a respeito de Deus e do que Ele nos disse, para nos fazer pensar que o que temos como convicção, na realidade, não é bem assim:

> Ora, a serpente era mais astuta que todas as alimárias do campo que o SENHOR Deus tinha feito. E esta disse à mulher: É assim que Deus disse: Não comereis de toda a árvore do jardim? E disse a mulher à serpente: Do fruto das árvores do jardim comeremos, mas do fruto da árvore que está no meio do jardim, disse Deus: Não comereis dele, nem nele tocareis para que não morrais. Então a serpente disse à mulher: Certamente não morrereis. Porque Deus sabe que no dia em que dele comerdes se abrirão os vossos olhos, e sereis como Deus, sabendo o bem e o mal. E viu a mulher que aquela árvore era boa para se comer, e agradável aos olhos, e árvore desejável para dar entendimento; tomou do seu fruto, e comeu, e deu também a seu marido, e ele comeu com ela. (Gênesis 3.1-6)

Da mesma forma como fez com Adão e Eva, o Diabo muda o foco de nossa visão nos fazendo acreditar que o que realmente precisamos é aquilo que ainda não temos, e, pior, que é finito. Assim começa o nosso apreço e desespero por coisas passageiras, que têm o poder de nos saciar rapidamente, mas sem se importar com o depois. Baseado em uma série de fatos que fazem sentido biblicamente, mas que não necessariamente foram expostos de maneira clara, só posso concluir e imaginar que com Judas não foi diferente. Primeiro, penso que Satanás o persuadiu a valorizar o que era transitório, colocando nele um desejo ganancioso. A tentação teve início através da ganância, e, no princípio, a ideia de trair Jesus nem havia sido mencionada ainda. Então, pouco a pouco, aqueles pensamentos foram se tornando amigos íntimos e pareciam ser tão inofensivos que não havia razão para deixá-los de lado. Conforme o tempo passava, e as verdades que Judas tinha eram confrontadas com mentiras, ele se acostumava mais com aquelas ideias, até, de fato, ser apresentado para o plano completo do Diabo, e ser convencido de que tudo aquilo era mesmo algo bom. "Fique tranquilo, Ele é Jesus... Ele vai se livrar dessa! Entregue-O e você ainda ganhará um dinheiro! Não se preocupe, Ele não será condenado, afinal, Ele é o Filho de Deus, não é mesmo?". E Judas acreditou. No fim, quando seus olhos foram abertos, o discípulo percebeu o que havia feito, e Lúcifer, por sua vez, jogou a culpa em Iscariotes. Satanás nunca assumirá a culpa. Essa é a sua estratégia, e apesar de parecer óbvia e infantil, é dessa maneira que ele tem destruído e afastado pessoas do amor de Deus. Porque se o ser humano soubesse a verdade, se ele soubesse o quanto é amado, o quanto é valorizado, e o que é capaz de fazer com Deus, isso mudaria absolutamente tudo. Tudo.

Ao final, Judas se encontrou cheio de culpa, remorso e com os bolsos abarrotados com as trinta moedas de prata que recebeu para levar os soldados ao Getsêmani, local de intimidade de Jesus. Ele invadiu o lugar com uma multidão de soldados, beijou-lhe o rosto e assim O entregou. A Palavra, no original, nos revela que o beijo de Judas foi um beijo de amor. Isso significa que a traição não oculta o amor, apenas o divide. Quando Judas beijou Jesus, ele ainda O amava, contudo uma outra parte dele já não O amava mais. Após a traição, a história nos mostra que Judas devolve as moedas, e quando percebe que ninguém as quer, ele atira todas elas no templo e sai para se suicidar.

Eu me lembro de quando eu namorava a minha esposa, Paula. Voltei para Jesus em abril de 2009, por isso namoramos dois anos no mundo e dois anos na igreja. Os dois primeiros anos com ela haviam sido os melhores, e eu tinha certeza absoluta de que ela era a mulher perfeita para mim. Entretanto, quando retornamos para a igreja, eu passei por um processo de cegueira que quase me custou tudo. Nós estávamos namorando e íamos noivar, quando, subitamente, eu comecei a desgostar dela e pensar que ela não era a mulher de Deus para mim, apesar de todas as confirmações e a certeza que eu tinha em meu coração. Naquele período, eu tinha algumas expectativas que ela ainda não estava atingindo, por isso, mais e mais, passei a alimentar uma cegueira que ia contra tudo o que eu havia escutado de Deus. Por essa razão, comecei a orar para que Deus me desse um motivo para terminar com ela. Isso me faz pensar que estar cego não significa estar longe da comunhão, e Judas é a maior prova disso, porque ele estava cego, mas mesmo assim se sentava na mesa e ceiava com Jesus. Em outras palavras, a cegueira não nos elimina da comunhão. Então, eu, em minha cegueira, permanecia orando para que

Deus me desse aquele motivo para terminar o namoro. Nessa época, um irmão da minha igreja, chamado Antônio, disse que precisava me dizer algo de Deus sobre o meu relacionamento. Ele não era qualquer homem, e sim um dos homens mais espirituais, verdadeiros e que eu mais respeitava como servo de Deus. Estávamos em uma festa de aniversário em um final de semana, quando ele me chamou de canto para dizer que havia sonhado comigo e com a Paula. Confesso que fiquei animado, afinal tinha certeza de que ele me traria esse motivo pelo qual eu tanto tinha orado. Porém, ele, bem sério, olhou em meus olhos e disse que Satanás tinha armado um laço contra o meu relacionamento com a Paula e que eu já tinha caído. "Carnal!", pensei instantaneamente comigo mesmo. Eu estava tão cego que, além de pensar que a Paula não era a mulher que o Senhor tinha para mim, desacreditei do homem de Deus que eu mais respeitava, porque o que ele havia me dito não combinava com o que eu queria ouvir. Meio sem graça, e dizendo a mim mesmo que aquilo não era de Deus, apenas respondi um amém e não quis mais tocar no assunto. Naquela semana, consegui um motivo para terminar com a minha namorada, quase esposa. Terminei o relacionamento de manhã, e à tarde estava chorando igual a uma criança, porque só depois caí em mim e percebi a minha cegueira. Foram duas ou três horas comemorando que havia conseguido terminar, quando, de repente, me dei conta do que realmente tinha feito. Em questão de horas, eu fui capaz de destruir tudo. Felizmente, tanto Deus quanto a Paula tiveram misericórdia de mim, e nós voltamos naquele mesmo dia à noite. Hoje, cada dia que passa, eu me torno mais apaixonado pela Paula e percebo o quanto o nosso relacionamento era mesmo algo que estava no coração de Deus. Eu nunca poderia ter encontrado uma mulher melhor do que ela. Pela graça de Deus, essa situação foi revertida, mas, muitas vezes, não conseguimos reverter as consequências que a nossa cegueira gera, e é justamente em razão disso que precisamos estar o tempo inteiro pedindo para que o Espírito Santo sonde os nossos corações e revele a cegueira que pode existir em nós. Judas poderia ter revertido aquela situação, mas não o fez. Ele só precisava ter esperado três dias, porém, apesar do arrependimento, ele não foi capaz de enxergar reversão para o que havia feito.

Algumas vezes, eu fico imaginando o que poderia ter acontecido se eu tivesse a chance de encontrar Judas bem no momento em que ele saiu arrependido, jogou as moedas e se livrou de tudo aquilo que o prendia. Eu queria tê-lo encontrado naquele momento. E se eu o encontrasse, diria: "Judas, fique calmo!". Ele, por outro lado, provavelmente diria: "Não! Eu destruí a minha vida. Eu acabei com tudo! E agora vou me suicidar!" Eu, mais uma vez, insistiria para que ele mantivesse a calma, enquanto ele, possivelmente irritado, responderia: "Calma? Mas o Filho do Homem vai morrer porque eu O traí!". Então, com um sorriso no rosto e lágrimas nos olhos, eu lhe diria: "Sim, Ele vai. Mas fique calmo, porque se você esperar três dias, o mesmo sangue que você traiu vai te salvar. O mesmo sangue para o qual você virou as costas vai te alcançar, perdoar e dar uma oportunidade para viver algo novo. Porque foi por isso que Ele morreu! Para perdoar os traidores. Para perdoar aqueles que viraram as costas. Aqueles que nunca acreditaram e um dia creram e disseram: 'Por favor, me salve!'. Ele ressuscitou, e ao terceiro dia deu chance para os traidores. O Seu sangue escorreu no madeiro e alcançou a todos eles, inclusive a mim".

Talvez hoje você se encontre como Judas. E não tem problema descobrir que está cego, mas agora que você tem a chance de abrir o seu coração e mente para receber cura para a cegueira que pode existir em seu entendimento, a escolha é apenas sua. É bem verdade também que quem está cego não tem como saber que está cego, e é por isso que precisamos do convencimento do Espírito Santo. Apenas Ele tem o poder de trazer clareza às áreas escuras do nosso ser. Peça para que Ele lhe traga esse convencimento agora e saiba que se existir algo, Ele irá revelar e pode curar. Porque, sinceramente, tudo o que você precisa já está disponível para você. Só o amor de Deus, em todas as suas formas, é capaz de nos dar o que precisamos de fato, e não o que queremos. E o que precisamos é do Seu amor.

CAPÍTULO 2

A Casa do Pai

Não sei você, mas quando eu era menino e viajava com a minha família, eu não gostava de voltar para casa. Na verdade, eu ficava o tempo inteiro me perguntando por que não poderíamos viver a nossa vida toda viajando. Os hotéis ou casas que ficávamos eram sempre mais divertidos e pareciam ser uma novidade constante para mim. Naquela época, a minha casa era um lugar, até certo ponto, chato, porque não havia custado nada para mim, então parecia não ter tanto valor. Hoje, viajando por todo o Brasil para pregar, penso que a melhor parte é sempre voltar para casa, apesar de amar viver o que Deus me chamou para fazer. Acredito que, quando crescemos, muitos valores se alteram dentro de nós, e que bom que isso acontece, porque quando somos meninos não entendemos o valor real das coisas. A maturidade nos faz gostar de estar em casa, e nos faz perceber que o melhor não está fora, mas dentro de casa. É exatamente isso que a história do filho pródigo me faz entender:

> E disse: Um certo homem tinha dois filhos. E o mais moço deles disse ao pai: Pai, dá-me a parte da fazenda que me pertence. E ele repartiu por eles a fazenda. E, poucos dias depois, o filho mais novo, ajuntando tudo, partiu para uma terra longínqua e ali desperdiçou a sua fazenda, vivendo dissolutamente. (Lucas 15.11 - ARC)

Esta, com certeza, é uma das minhas parábolas preferidas na Bíblia. Cresci escutando essa história sendo pregada milhares de vezes, sob as mais variadas perspectivas, e até hoje me impressiono com as palavras descritas em Lucas. As Escrituras nos revelam que Jesus, além de estar pregando a parábola para os discípulos, também era o criador daquela narrativa, o que quer dizer que mesmo antes de terminar, Ele já sabia o início, o meio e o fim que ela teria. Então, o Mestre começa apresentando um pai e seus dois filhos. Um deles, o mais novo, que tinha menos experiência e vivência, provoca o pai, requerendo o que, de acordo com ele, era seu por direito: a herança. O interessante é que, por mais absurdo que isso possa soar, a Palavra nos mostra uma reação descomplicada da parte do pai. Na história, não há indícios ou detalhes de alguma objeção ou até mesmo ponderação contrária vindo daquele homem. Ele não fez outra proposta para o filho. Talvez se eu estivesse no lugar dele tentaria convencer o menino, dizendo: "Filho, pense bem... aqui você está com o pai, e eu estou enriquecendo! Isso significa que você também vai ficar ainda mais rico! 'Aguenta', você pode ir depois... fica com o pai...!". Não aquele homem. A Bíblia diz que a única coisa que aquele pai fez foi pegar a herança e dividi-la entre os dois filhos. Entretanto, em nenhum momento o filho mais novo expressou qualquer interesse em deixar sua casa, ele apenas queria a herança. Ainda assim, por algum motivo, ele decide ir embora, e não é impedido pelo pai. Então, aquele moço pega a sua parte da herança, vai embora e, rapidamente, gasta tudo o que tinha, vivendo sem qualquer administração ou coerência.

    A Bíblia revela que o menino gasta toda a fortuna que havia recebido e, de repente, se encontra no fundo do poço, prestes a comer uma comida oferecida aos porcos. Naquele momento, ele se dá conta: "Meu Deus! Até os jornaleiros do meu pai comem melhor do que eu". Então, ele decide voltar.

    Sempre fiquei pensativo em relação a essa história até entender alguns pontos. É muito estranho, para não dizer louco, um pai fazer uma negociação dessa com os filhos. Isso não existe na vida real. Como um pai poderia entregar seu patrimônio em vida e ainda liberar um deles para ir embora sem ao menos refutar a ideia? Essa parte da narrativa nunca fez sentido para mim. Isso sem contar que não existe herança de pessoas vivas, o que era outra coisa que me incomodava bastante nessa parábola. Não é possível dar uma herança para alguém em vida, a não ser que seja uma doação, mas, sendo esse o caso, deixaria de ser herança. Logicamente, o testamento pode e precisa ser escrito em vida, mas ele só tem validade após a morte. Sendo assim, até poderíamos inferir que o texto talvez se tratasse de uma doação. Contudo, Jesus, enquanto contava, quebrou essa hipótese ao deixar claro que se tratava de uma herança. Aquele pai, então, pega a sua fazenda, seus bens, e, em vida, reparte entre seus dois filhos. Ambos recebem; um decide ficar e o outro vai embora. Mas o que me surpreende é a postura daquele homem diante do que estava acontecendo. Aliás, essa cena, talvez, seja uma das coisas mais difíceis de assimilar nessa história. Afinal, o que faz um pai dar algo para um filho antes do tempo? E mais, como um pai é capaz de entregar com tanta facilidade aquilo que o filho pede? A herança era legitimamente daquele homem, ele poderia ter dito não. Eu teria feito isso. Por outro lado, ele não apenas entrega a herança nas mãos do menino, como também não dá nenhuma advertência de como gastar ou o que fazer com ela. Que amor é esse que permite o filho escolher o que quer, mesmo sabendo que apenas ele mesmo saberia o que era melhor para o menino? Esse é o amor de Deus. Ele sempre nos deu o direito de escolher, ainda que optássemos por algo que Ele mesmo não escolheria. O livre arbítrio é mais uma das infinitas facetas de Seu amor escandaloso, que nos libera para decidir o que queremos, ainda que essa escolha não seja a melhor. Se Ele fosse ditador e cruel, nos obrigaria a servir e obedecer a Ele, independentemente de nossas vontades. Mas isso, além de doentio, não se parece em nada com um relacionamento. O amor não nos obriga a nada; não precisa forçar. Ele é leve, de graça, feito por livre e espontânea vontade. Entretanto, apesar do amor de Deus se comportar assim, o amor humano é diferente. A nossa forma de amar é condicional e dependente daquilo que recebemos.

Por isso, muitas vezes, somos como o filho mais novo, exigindo "o que é nosso por direito", sem nos lembrarmos que o Pai não tem nenhuma obrigação de nos dar nada. Você sabia que muitas pessoas após se casarem vão embora da casa do Pai? Sabia que alguns, depois de ganharem um carro pelo qual tanto oraram, vão embora? Que muitos vão embora após receberem a casa pela qual tinham clamado durante tanto tempo? Recebem e se vão. Antes, enquanto oravam e clamavam pelas bênçãos, permaneciam fiéis e fervorosos, mas após receberem de Deus as coisas pelas quais tanto oraram, decidem ir embora e gastá-las dissolutamente. Vivemos em uma geração em que muitos tratam a Deus como um gênio da lâmpada, que existe apenas para satisfazer seus desejos, sonhos e anseios. O que importa não é o relacionamento, mas aquilo que tem a chance de ganhar em troca. Podem até mesmo orar, jejuar e passar tempo em adoração, mas apenas porque precisam do milagre, da bênção e romper. Muitas vezes, tentamos barganhar com Deus para termos acesso ao que queremos, mas com Ele as coisas não funcionam assim. Deus não cria filhos mimados; Ele não alimenta desvios em nosso caráter para nos manter perto d'Ele. Ele não passa a mão em nossa cabeça quando estamos errados. Se decidimos estar com Ele, devemos saber que é Ele quem dita as regras, e não o contrário. Somos nós quem devemos nos render ao Seu modo de agir, e confiar que se Ele nos dá ou não alguma coisa, esse é o melhor que Ele irá nos oferecer. O problema é que em diversos momentos tentamos ensinar a Deus como fazer o Seu trabalho, como se soubéssemos o que é melhor para nós. Deus, além de Criador, é Onisciente, portanto, sabe do que precisamos mesmo que não tenhamos dito nada. Aliás, o profeta Jeremias nos trouxe essa confirmação ao dizer que os planos de Deus são sempre para nos fazer prosperar, nos dar esperança e um futuro. Se estamos debaixo de Sua autoridade, não existe a menor possibilidade de não sermos supridos com o melhor d'Ele. Precisamos aprender a mudar a nossa perspectiva em relação a Deus, afinal o amor não nos dá o que queremos, mas o que realmente precisamos.

    A grande verdade é que no fundo não sabemos o que significa amor. Estamos o tempo inteiro pensando em nossos interesses, nos benefícios que teremos com as coisas e relações, ou como podemos acessar com maior facilidade o que queremos, muitas vezes, sem nos importarmos se essa é ou não a vontade de Deus. Então, os que recebem o que querem gastam dissolutamente e se desesperam, porque descobrem que aquilo é finito. Foi exatamente aqui que passei a entender melhor a atitude daquele homem. Nenhum pai em sã consciência concordaria com esse tipo de escolha de um filho, a menos que soubesse que o que ele entregou iria acabar e que esse filho teria de voltar. O pai abre mão porque entregou algo perecível para o filho. Então, no fundo, ele sabia: "O meu filho vai voltar". Porque a verdade é que ninguém foi feito para viver longe da casa do Pai. Existem coisas que só encontramos lá. Coisas que, ainda que tentemos, nunca encontraremos em qualquer outro lugar. São dessas coisas que somos carentes.

Aquele homem sabia que a herança era passageira, mas permitiu que o filho tomasse as suas próprias decisões e arcasse com as consequências porque, apesar das coisas ruins que poderia passar longe de casa, o Pai sabia que a experiência de ficar distante de Sua presença surtiria um efeito eterno naquele jovem. Somente assim ele entenderia que a presença do Pai era melhor do que qualquer companhia ou bens materiais que ele poderia sonhar em ter, porque apenas ela era suficiente para suprir o que ele precisava. Porém, é importante deixar claro que o fato de o menino ter ido embora de casa e de o pai saber que ele voltaria, não significa que ele precisava ter saído para entender que o melhor estava em casa. Aquele jovem poderia ter sido inteligente e percebido que o que ele realmente precisava estava em casa; não na casa em si, mas em Quem morava nela. A história do filho pródigo nos ensina que não precisamos de uma experiência traumática para percebermos que o melhor está dentro de casa, com o Pai.

Entretanto, apesar de não concordar com a escolha do filho, o Pai lhe entrega o poder de decisão, o que me lembra muito a história de Adão e Eva. Quando Deus colocou ambos no Jardim, Ele sabia que eles iriam pecar, mas deixou a escolha nas mãos deles. Ele não os protegeu do poder de decisão e dos resultados que elas poderiam desencadear. Se fosse assim, Ele nem mesmo teria colocado a árvore do Conhecimento do Bem e do Mal no Jardim, para começo de conversa. Entretanto, Deus, por Seu imenso e escandaloso amor, nos permitiu ter a liberdade de escolhermos a Ele e o Seu amor.

Isso não isentou a humanidade das consequências que vieram após a Queda, porém, de maneira linda e imerecida, Ele nos possibilitou voltar para casa através de Jesus. A obra da salvação na cruz, mediante o precioso sangue de Jesus, é a manifestação encarnada do amor divino por nós. É Deus Pai nos mostrando que a porta de casa está aberta para nós.

Sempre que me pego pensando nisso fico chocado com a maturidade e a segurança do amor de Deus, que, mesmo sabendo que é a fonte de tudo o que precisamos, ainda assim, decide passar por cima de Sua própria vontade para nos dar a oportunidade de escolher o que queremos: ficar ou ir embora. Apesar do nosso amor interesseiro, Ele não nos trata da mesma maneira, pelo contrário, Ele continua nos amando mesmo sabendo que somos assim. Esse é o tipo de amor que encontramos na casa do Pai.

De vez em quando, gosto de imaginar como essa casa é. Em João 14 lemos:

> Não se turbe o vosso coração; credes em Deus, crede também em mim. Na casa de meu Pai há muitas moradas; se não fosse assim, eu vo-lo teria dito. Vou preparar-vos lugar. E quando eu for, e vos preparar lugar, virei outra vez, e vos levarei para mim mesmo, para que onde eu estiver estejais vós também. (João 14.1-3)

Sempre existe espaço para mais um na casa do Pai. Os quartos são grandes, aconchegantes e projetados individualmente para cada filho. Ali, encontramos provisão, descanso, abrigo, segurança, direção e, o melhor: a presença constante do Pai. Por mais que saibamos que a presença de Deus é a única coisa que pode satisfazer os nossos anseios, muitas vezes teimamos em apostar em coisas terrenas. Porém, o nosso coração tem fome de eternidade.

> Ele fez tudo apropriado a seu tempo. Também pôs no coração do homem o anseio pela eternidade; mesmo assim este não consegue compreender inteiramente o que Deus fez. (Eclesiastes 3.11 - NVI)

Mesmo sem saber, ansiamos pelo que é eterno. Ainda que busquemos as coisas desta Terra, o nosso coração sempre precisará de mais para ser completo. Porque o que tem sede de eternidade só pode ser saciado pelo que é eterno. É claro que buscar coisas terrenas também faz parte do processo da vida, inclusive é isso o que Salomão continua dizendo nos versículos seguintes de Eclesiastes. Comer, beber e ser recompensado pelo seu trabalho também são presentes de Deus (Eclesiastes 3.13). O homem pode e deve buscar sempre mais, tendo uma ambição saudável em todas as áreas de sua vida, afinal não somos e nem devemos viver como coitados, miseráveis ou órfãos. Somos realeza, e isso não tem a ver com dinheiro, mas com mentalidade. Contudo, ao final, não podemos nos esquecer que nenhuma dessas coisas tem valor eterno, e, por isso, não poderá nos satisfazer. O pai do filho pródigo entendia isso.

Ainda hoje, quando leio Lucas 15, impressiono-me com a frieza daquele homem. Fico imaginando aquele pai assistindo a partida do filho, ao mesmo tempo em que já mandava os servos deixarem preparados um anel, as melhores roupas e sapatos, os talheres para a festa e o animal cevado. Não havia dúvida para Ele: o filho ia voltar. Aliás, imagino aquele pai deixando a porta o tempo inteiro aberta para esperar a volta do filho. Até que, de fato, ela acontece. A Palavra nos diz que aquele menino, caindo em si, percebe que o que recebeu acabou. Imediatamente, ele se lembra da casa do Pai.

> E, tornando em si, disse: Quantos jornaleiros de meu pai têm abundância de pão, e eu aqui pereço de fome! Levantar-me-ei, e irei ter com meu pai, e dir-lhe-ei: Pai, pequei contra o céu e perante ti; Já não sou digno de ser chamado teu filho; faze-me como um dos teus jornaleiros. E, levantando-se, foi para seu pai; e, quando ainda estava longe, viu-o seu pai, e se moveu de íntima compaixão e, correndo, lançou-se-lhe ao pescoço e o beijou. (Lucas 15.17-20)

O filho decide voltar para casa porque se lembra de que lá existia uma coisa que todos tinham acesso e ele havia perdido: sustento. É nesse momento que ele se dá conta de que tinha coisas que vinham do Pai, mas que as escolhas que havia feito o levaram a viver suprido por seu próprio braço. Existem coisas que só encontramos na casa do Pai.

Quando estava na casa do Pai, o menino tinha tudo. Ele trabalhava menos e produzia mais; isso também acontece conosco quando estamos debaixo dos desígnios de Deus, porque há graça. Em casa, o menino tinha servos à sua disposição, alimento, segurança, roupas novas, tinha a herança, estava enriquecendo e, o melhor, tinha constantemente a presença do Pai. Porém, quando se afastou de casa, passou a abraçar as suas causas e ideais, e, mesmo fazendo tudo o que sempre quis, entendeu que nada do que produzisse supriria a falta da casa do Pai. No momento em que saímos de casa, além de perdermos tudo isso, passamos a trabalhar com as nossas forças em coisas finitas. Trabalhamos mais e produzimos menos, porque não existe o favor de Deus. Entretanto, quando estamos com Ele, tudo o que fazemos pode ecoar pela eternidade. E, uma vez que estamos n'Ele, a nossa vida passa a ter valor eterno e tudo o que iniciamos nesta Terra pode se tornar eterno.

Ainda distante, enquanto fazia o caminho de volta, o pai avista o menino e sai correndo em sua direção, movido de íntima compaixão. Que bom ter o filho de volta. Que bom que ele havia descoberto que o que precisava não estava fora de casa, mas dentro, e com o seu pai. Que bom que ele havia percebido que o que estava em suas mãos poderia acabar, mas que o que havia sido construído pelas mãos do Pai era para sempre!

A história conta que aquele menino entrou em casa com comemorações e honrarias. Ganhou um anel, roupas e sapatos novos, e até uma festa com o melhor que se poderia imaginar. Entretanto, ele não se importava mais com as coisas que poderia conseguir, porque havia descoberto que o que ele precisava não era de dinheiro ou uma casa maior, ele precisava do Pai. Não precisava de drogas, festas, bebidas ou um amor passageiro. Tudo isso dura apenas um momento. Um piscar de olhos e já acabou. Não, aquele jovem precisava de mais. Ele precisava de eternidade, assim como nós.

O nosso problema é que o tempo inteiro somos controlados pelo imediatismo. Não existe espera. Não existe descanso, e muito menos tempo a perder. Tudo o que é valorizado e idolatrado é o agora. Nossas agendas, prazeres e até mesmo sonhos estão sempre conectados ao agora ou a um futuro tão próximo que mal temos tempo para planejar. Contudo, o tempo do Céu é diferente do nosso, justamente porque o que é valorizado lá, muitas vezes, é diferente do que é valorizado na Terra. O Céu se preocupa com aquilo que o tempo não pode destruir. Afinal, como disse C. S. Lewis, um dos maiores escritores e pensadores cristãos do século passado: "Tudo o que não é eterno, é eternamente inútil". Mas a Terra, no geral, se preocupa sempre com o que é finito. A felicidade que valorizamos e corremos atrás é aquela de momento, que vem depressa, quase como uma recompensa no meio da monotonia e rotina tediosa, mas que, também, tão rápida como chegou vai embora.

Deus não trabalha assim. Na verdade, em grande parte da nossa jornada aqui, Ele, curiosamente, escolhe nos desafiar através da espera e de longos processos. Isso porque alcançar a eternidade tem tudo a ver com perseverança. A Palavra diz:

> Mas aquele que perseverar até ao fim, esse será salvo. (Mateus 24.13)

É quando perseveramos, mesmo nos momentos que não entendemos, que nos tornamos maiores por dentro do que por fora; e isso só é possível quando passamos tempo não apenas na casa do Pai, mas na presença do Pai. É interessante a perspectiva de Deus a respeito da eternidade, já que para Ele, apesar de estarmos presos em um tempo finito, assim que nascemos, o nosso *start* para essa eternidade já foi ativado. Isso quer dizer que, sabendo ou não, cada dia que vivemos aqui temos a oportunidade de nos aproximar ou distanciar da eternidade na casa do Pai. É claro que a jornada até lá é árdua e tem um preço alto, mas quando mantemos as coisas eternas diante de nós e, principalmente, fixamos os nossos olhos no Pai, sabemos qual é o nosso verdadeiro destino e o que está em jogo. Dessa maneira, tudo o que é passageiro acaba perdendo o valor diante da grandiosidade e perfeição que o Pai é. Então, a eternidade ao Seu lado passa a ser a nossa maior ambição. Nada é capaz de superar a Sua presença, e o *para sempre* se torna pouco tempo para estar e conhecê-lO. Porque "um dia em Sua presença é melhor do que mil em qualquer outro lugar".

Quando eu era criança, tinha o costume de ouvir uma canção bem antiga que se chamava *Casinha branca*. A música dizia:

> Eu tenho uma casinha que está velha e sinto seu final se aproximar
> Os anos que eu moro nesta Terra, aqui minha alma achou onde habitar
> Eu tenho uma casinha já bem gasta que um dia, em breve, ei de aqui deixar,
> E quando for levado a outra morada, para sempre com o Senhor ei de ficar;
> Adeus casinha branca, em breve ei de deixar tua habitação;
> Adeus morada santa
> Regressarei na grande ressurreição

Essa canção sempre me emociona. Ela me faz lembrar qual é a nossa verdadeira casa. Um dos meus maiores desejos é que a nossa geração entenda que nós temos um endereço eterno para morar, e não apenas para nos hospedar. Essa morada já está sendo preparada pelo Eterno. Nós não precisamos fugir de casa. Existe um palácio à nossa espera. E quando entramos nessa casa, nos tornamos eternos também. A partir do momento em que escolhemos participar desse relacionamento de amor e andar com Jesus, passamos a valorizar o que é eterno e a viver a eternidade desde agora. Porque o amor de Deus é agora. A eternidade começa hoje. Não foi há dez anos ou será daqui a três dias. A eternidade já começou e o amor de Deus já está disponível neste exato momento. Ele nos dá o direito de escolher ficar ou ir, e permanecerá nos amando apesar das nossas escolhas, mas, no fundo, todos sabemos que, apesar do nosso poder de decisão, tudo o que precisamos está na casa do Pai. Porque somente ali existe eternidade. Não precisamos de momentos, precisamos de eternidade.

Você está triste? Desanimado? Tem chorado de dor? Sentindo-se abandonado? Sem esperança? Com vontade de se suicidar? É porque o que você recebeu acabou. Volte para casa. A porta da casa do Pai sempre está aberta e Ele continua à sua espera, do mesmo jeito: com o mesmo olhar, o mesmo abraço, e com uma festa preparada para você. Volte para casa. Porque você não foi feito para viver longe do Pai. Entretanto, apesar da sua escolha, saiba: A porta da casa do Pai sempre estará aberta, porque o que a mantém assim é o amor do Dono da casa.

CAPÍTULO 3

Segunda Chance

Billy Graham, talvez um dos maiores evangelistas do nosso século, disse, certa vez, que Deus nunca dá segundas chances por acidente, e eu concordo com ele. Sempre existe um caminho de volta para casa; e isso não é casualidade, é proposital. Mas, infelizmente, na maioria das vezes, nós não agimos assim; e isso também é proposital. Para nós, a segunda chance, em sua forma teórica, é, predominantemente, simpática, altruísta e bem-vinda; o que nem sempre acontece na prática, já que ela pressupõe um erro como causa. O ser humano, apesar de falho, nunca soube lidar muito bem com o erro. Somos os primeiros a apontar o dedo, difamar e julgar, mas os últimos a amar, ainda que tenhamos esse discurso extremamente bem ensaiado em nossa mente. Todos clamamos "Mais amor, por favor", mas, ao menor sinal de descuido e erro, mostramos o verdadeiro significado que a palavra "amor" tem para nós. Porque, no fundo, o que exigimos mesmo é a perfeição, ainda que nós não sejamos.

Com o advento das redes sociais, a impressão é que uma nova plataforma e possibilidade de julgamento se abriu, em que qualquer assunto é motivo de crítica ou briga. É como se tivéssemos gabarito e aval para falar sobre tudo e todos quando nos deparamos com alguém que tenha errado. Contudo, essa dificuldade de aceitar as falhas dos outros, sem antes olharmos para nós mesmos, é o que faz crescer não só a hostilidade, mas também a hipocrisia de achar que não temos falhas ou que elas não são assim tão graves quanto a dos outros.

Felizmente, esse não é o modo de agir de Deus. Ele sempre deu segundas chances. Porém, durante muito tempo, por causa da Lei, a sensação que as pessoas tinham era que Ele estava o tempo inteiro buscando motivos para castigar o povo. Inclusive, eu me lembro que, quando era menino, de vez em quando, ouvia que se eu errasse, Jesus iria me castigar, e que o Seu castigo era feroz. "Ele vai bater com vara de ferro", alguns diziam. E isso era assustador porque, quando Deus é apresentado assim, dá medo.

Por esse motivo, mesmo com a vinda de Jesus e Seu discurso contra a cultura, os que viviam naquela época também alimentavam a mesma expectativa em relação a Ele. Como se a única resposta que Ele pudesse oferecer fosse o juízo ou a condenação por meio da Lei. Durante toda a estada de Jesus aqui na Terra, Ele sempre foi solicitado para liberar sentenças sobre as pessoas e situações, mas Ele nunca sentenciava. A expectativa das pessoas era Cristo exercendo o papel de juiz, mas Ele tinha muito bem estabelecido quem era e o que representava, e é por isso que todas as vezes respondia como advogado. Esse é o posto que Jesus assume em nosso favor perante o Pai. Porém, vale lembrar também que, apesar de Jesus não ter vindo nos acusar através do peso da Lei, isso não quer dizer que Ele não fosse cumpri-la, pelo contrário. O problema é que muitos, talvez por causa da religiosidade, aguardavam o Seu nervosismo, raiva ou violência diante dos pecadores. Afinal, nada era mais importante do que o juízo através da Lei. Por isso, em diversas situações descritas nos Evangelhos, percebemos os que tentavam desequilibrá-lO emocionalmente. Mesmo assim, Ele sempre agiu muito diferente da expectativa que tinham a respeito d'Ele.

Talvez uma das histórias bíblicas que mais ilustrem essa verdade seja a de João 8.2-5:

> E pela manhã cedo tornou para o templo, e todo o povo vinha ter com ele, e, assentando-se, os ensinava. E os escribas e fariseus trouxeram-lhe uma mulher apanhada em adultério; E, pondo-a no meio, disseram-lhe: Mestre, esta mulher foi apanhada, no próprio ato, adulterando. E na lei nos mandou Moisés que as tais sejam apedrejadas. Tu, pois, que dizes?

A narrativa nos mostra Jesus ensinando o povo quando, de repente, os fariseus e escribas Lhe trouxeram uma mulher que fora pega em flagrante de adultério. Eles, aproximando-se de Jesus, colocaram a mulher diante de todos, e disseram: "A Lei de Moisés diz que essa mulher precisa ser apedrejada, e TU, o que dizes?". Todas as vezes que leio esse texto, imagino que, talvez na cabeça daqueles homens, Jesus ficaria nervoso ou que concordaria com a condenação instantânea, afinal ela havia sido pega em flagrante, não havia dúvida. Ninguém podia negar. Pedro, o mais ansioso, talvez já tivesse pegado uma pedra, mirado na cabeça e estivesse à postos para atirar a primeira pedrada. Mas, mesmo sem termos certeza de todos esses detalhes, sabemos que o contexto ao redor já era de muita euforia. Todos estavam afoitos, talvez começando a procurar suas pedras, esperando a reação do Mestre. Entretanto, contrariando qualquer expectativa, Ele, simplesmente, se agacha e começa a escrever no chão com o dedo. Naquele momento, o tipo de reação de Jesus não demonstra que Ele estava desestabilizado, mas revela a desestabilidade nas pessoas que estavam Lhe observando. Aquela escolha de comportamento gerou desestabilidade e desconforto em todos os que estavam diante d'Ele esperando por uma resposta, porque, quando alguém quer brigar e está atrás de confusão, não espera por uma reação como aquela. Sei bem disso porque sou muito sanguíneo e minha esposa, Paula, é extremamente calma e pacífica, e todas as vezes que quero brigar e falar, falar e falar, o silêncio dela me constrange e me faz refletir ainda mais do que se ela tivesse refutado com qualquer palavra, ainda que estivesse certa. Então, por um lado, eu entendo o que a multidão pode ter sentido ali, mas percebo também que o que Jesus estava fazendo era mostrar para aquelas pessoas a Sua personalidade diante da crise. Nada O tirava do eixo. A desestabilidade dos outros não abalava as Suas estruturas. Imagino que, por causa disso, naquele instante, talvez a multidão tenha começado a questionar: "Ele não vai fazer nada?

Esse homem, na verdade, não é cumpridor da Lei! Ele é pior do que essa mulher...!". E, enquanto tudo isso parecia demorar uma eternidade, todos aguardavam e cobravam um posicionamento d'Ele. "Mestre, fale alguma coisa, o que a gente faz?".

Nós somos assim também. Quantas vezes não cobramos das pessoas? "Tem que mandar embora da igreja", "Você viu o que ele falou?", "Você viu o que tal pessoa fez?", "Repararam na roupa que ela estava usando?". A nossa atitude é sempre essa: atire a primeira pedra. Tropeçou? Acabou, não existe oportunidade, nós temos de matar. Caiu? É digno de morte. Porque, quando se trata do outro, não existe segunda chance.

Enquanto todos esperavam por Sua devolutiva, eu imagino Jesus olhando para aquela mulher, que, muito provavelmente, estava tremendo de medo, apenas antecipando a dor e a aflição das pedradas que viriam poucos minutos depois. Assim como não restavam dúvidas de que ela havia cometido aquele pecado, possivelmente aquela mulher também deveria ter certeza da condenação que o Mestre a sentenciaria. Ela estava nervosa. O povo estava nervoso. Mas não Jesus. Enquanto o nervosismo por parte de todos aumentava, Ele levou o tempo que achou necessário, até levantar os olhos e dizer: "Quem não tem pecado atire a primeira pedra". O que Jesus estava se referindo não era a respeito da indignidade de atirar a pedra por causa do pecado, e sim que talvez tivessem mais pessoas ali que precisavam ser apedrejadas. Em outras palavras, se alguém tivesse pecado, o lugar dessa pessoa seria com aquela mulher.

Sem reação e bem devagar, vejo em minha imaginação aquelas pessoas soltando as pedras e indo embora. Ninguém tinha moral. Porque ninguém é melhor do que ninguém; todos precisam da remissão de Jesus. É interessante, porque a maneira como a passagem foi escrita nos revela o coração daqueles que largaram as pedras e partiram. Todos foram movidos por sua consciência, e não pelo Espírito Santo. Sabemos disso, porque quando alguém é instigado pela consciência não consegue acreditar na segunda chance. Se aquelas pessoas tivessem sido movidas pelo Espírito Santo, em vez de sua consciência, elas teriam se ajoelhado ao lado daquela mulher e dito: "Jesus, nós precisamos da mesma defesa que ela".

A consciência nos afasta de Cristo e do Seu amor porque ela é um campo aberto e vulnerável para a acusação do Inimigo. Ela afirma que você ou que o outro não são dignos, não podem ser aceitos, perdoados e lavados, quando, na verdade, o propósito do sangue de Cristo foi justamente nos dar um novo começo. Todas as vezes que nos condenamos com um jugo que o próprio Cristo não colocou sobre nós, é como se disséssemos a Ele que o perdão e o amor que Ele mesmo nos garantiu não são suficientes para nos fazer livres e aceitos. Muitas vezes vivemos debaixo de tanta culpa, vergonha e acusação, que pensamos não ser dignos de receber o amor e desfrutar da presença de Deus. Mas, se Ele mesmo abriu esse acesso, quem somos nós para nos julgarmos indignos? Reconhecer e aceitar o preço que foi pago para que pudéssemos entrar na Presença é humildade. Quando batemos de frente com a verdade do Céu a respeito de nossa identidade, e isso inclui a dignidade de nos achegarmos até o Seu trono, estamos sendo orgulhosos por não aceitarmos o acesso que Ele pagou e afirma que já recebemos através do Seu sacrifício.

O convencimento do Espírito Santo, por outro lado, nos aproxima da cruz, de Jesus e, consequentemente, da segunda chance que Ele sempre tem para nos oferecer. Nisto está mais uma prova do Seu amor para conosco. Não tem a ver com a nossa pureza ou imundícia, e sim com o amor de Deus. A perspectiva muda quando nos lembramos que Ele é o centro. Nunca estaremos limpos ou prontos o bastante, mas Ele nos aceita dessa maneira, e prova o Seu amor ainda mais quando nos habilita e convida a sermos transformados à Sua semelhança.

Ali, quando os acusadores já haviam se retirado, restava apenas Jesus diante daquela mulher. "Ele pode atirar a pedra! Se Ele quiser, Ele vai atirar...", talvez ela tenha pensado. Naqueles poucos segundos, as esperanças dela muito possivelmente se foram outra vez. Ele era o único que poderia atirar a pedra. Mas, olhando para ela, diz: "Filha, nem eu também te condeno".

Jesus nunca se esqueceu quem Ele era. Ele não é o nosso juiz — ainda não. Hoje, Ele é o nosso advogado, e eu nunca vi um advogado desistir de um cliente, a não ser que seja ruim, mas nosso Advogado nunca desistiu de cliente nenhum. Aliás, Ele morreu por pessoas que nem clientes d'Ele querem ser. Cristo não veio nos sentenciar, por isso, qualquer coisa que te acuse ou crie uma sentença sobre você, saiba, não é de Deus, e sim de Satanás.

Naquele momento, quando o Mestre diz aquelas palavras para a mulher, Ele a absolve do pecado, porque é como se estivesse dizendo: "Eu não vim para te condenar, mas para te defender". Ele é o nosso advogado. Isso significa que, quando caímos, Ele está à direita do Pai, dizendo: "Antes de olhar para ele (a), olhe para ele (a) através de Mim".

> Meus filhinhos, estas coisas vos escrevo, para que não pequeis; e, se alguém pecar, temos um Advogado para com o Pai, Jesus Cristo, o justo. E ele é a propiciação pelos nossos pecados, e não somente pelos nossos, mas também pelos de todo o mundo. (1 João 2.1-2)

Porém, muitas pessoas não entendem isso e, em nome de uma falsa justiça, preferem atirar suas pedras. Isso tem acontecido principalmente dentro das igrejas, onde o julgamento tem matado e excluído milhares de pessoas do Corpo. O nosso papel não é esse. Se Jesus não é aquele que condena, não é você que o fará. Se Jesus não é aquele que acusa, não será você que o fará. Ele não veio nos condenar, mas nos defender. Inclusive, é importante lembrar que o mesmo capítulo de João continua dizendo que aqueles que dizem que estão n'Ele devem seguir Seus passos, afinal quem diz amar a Deus, mas odeia a seu irmão está cego pelas trevas:

> Aquele que diz que está nele, também deve andar como ele andou. Irmãos, não vos escrevo mandamento novo, mas o mandamento antigo, que desde o princípio tivestes. Este mandamento antigo é a palavra que desde o princípio ouvistes. Outra vez vos escrevo um mandamento novo, que é verdadeiro nele e em vós; porque vão passando as trevas, e já a verdadeira luz ilumina. Aquele que diz que está na luz, e odeia a seu irmão, até agora está em trevas. Aquele que ama a seu irmão

está na luz, e nele não há escândalo. Mas aquele que odeia a seu irmão está em trevas, e anda em trevas, e não sabe para onde deva ir; porque as trevas lhe cegaram os olhos. Filhinhos, escrevo-vos, porque pelo seu nome vos são perdoados os pecados. (1 João 2.6-12)

A Palavra nos instrui que existe uma maneira de provarmos o nosso amor a Deus e reconhecermos que estamos n'Ele: "... se guardamos os Seus mandamentos" (1 João 2.3). Em outras palavras, a condição preestabelecida por Deus para garantir a verdade de nosso cristianismo é guardar e cumprir os Seus mandamentos, o que quer dizer que devemos andar como Ele andou, já que Ele mesmo veio para cumprir a Lei, tornando-se o nosso maior exemplo. Entretanto, muitas vezes, quando agimos como Ele e estendemos essa segunda chance, acabamos nos vangloriando ou, mesmo silenciosamente, alimentando uma falsa humildade, como se, no final das contas, aquilo nos fizesse superiores ou bons. Porém, em Lucas diz:

> Somos servos inúteis, porque fizemos somente o que devíamos fazer. (Lucas 17.10b)

Não existe mérito em fazer aquilo que é mandado. Portanto, que possamos assumir a nossa posição verdadeira no Reino, servindo a todos em humildade e unidade. Essa é a lógica do Reino de Deus: o primeiro deve ser o último e servo de todos (Marcos 9.35). E ninguém cumpriu tão bem essa atribuição como Jesus. Ele, em tudo, foi exemplar, ensinando-nos através do Seu amor como deveríamos agir, pensar e nos comportarmos. Mesmo sendo Deus e tendo o direito de exigir glórias por quem Ele é, Jesus sempre escolheu a direção inversa. Com Ele, o que é valorizado geralmente não parece fazer sentido nenhum para a maioria de nós, mas é esse o caminho que Ele nos ensina e convida a trilhar. Contudo, muitos pensam que uma vida de humildade e serviço ao próximo significa a anulação ou depreciação de si mesmo, o que não é verdade. Viver em humildade é justamente saber quem você é. Nem mais nem menos. Quando passamos a entender quem somos a partir da perspectiva divina, andar de maneira humilde e sempre com o coração disposto a servir aos outros se torna a única resposta possível diante de um Deus, que nos comissiona a percorrer um itinerário por onde Ele mesmo sempre escolheu passar.

Ao final, depois que todos já haviam partido, o Mestre despede aquela mulher. "Vá em paz e não peques mais". No meio de todo aquele turbilhão, ela havia perdido a paz com as pessoas e, muito possivelmente, em todas as outras áreas de sua vida. Essa é a tática que Satanás usa com aqueles que caem. Ele promove o ódio, a guerra, a condenação, e rouba a nossa paz. Mas Jesus estabelece a paz outra vez.

Infelizmente, hoje a Igreja tem exercido um papel de juiz que não condiz com o seu propósito e muito menos com o que Jesus ensinava. Em vez de amar e se colocar em uma posição de defensoria para aqueles que são oprimidos e dilacerados pelo Inimigo, ela tem julgado, acusado, ferido e excluído os que são taxados como pecadores, como se não conhecesse o Único que pode libertar, curar e limpar todos eles.

O problema dos fariseus modernos é pensar que os pecadores têm o poder de contaminar aquilo que é santo, o que é a coisa mais absurda de todas, uma vez que o sangue de Jesus tem o poder de purificar tudo. Não precisamos viver com medo de nos contaminarmos, mas, mais do que nunca, devemos ter consciência de Quem carregamos e do poder que Ele tem para tornar limpo quem quer que seja. A nossa perspectiva em relação às pessoas passa a ser diferente quando entendemos que elas não são um problema para nós como Igreja. Para os que estão, de fato, em Cristo, não há nada que os possa contaminar, o que não significa que não precisem estar sempre alerta, afinal estamos em guerra. Entretanto, a nossa luta não é contra pessoas. Ela não é contra a carne nem sangue, mas contra principados e potestades (Efésios 6.12). Não devemos lutar, condenar nem excluir ninguém, porque os que estão em pecado estão sob influência maligna e precisam de Jesus, assim como nós. Precisamos guerrear contra o Diabo e as trevas para que essas pessoas possam experimentar aquilo que nós já temos acesso através de Jesus, afinal um dia também fomos resgatados por Seu amor. Um dia Ele também nos ofereceu uma segunda chance. Então, quem somos nós para achar que alguém não é merecedor ou digno? A verdade mesmo é que, no fundo, ninguém é. Mas quando Ele olha para nós, Ele enxerga quem já somos através do Seu sangue, e é isso que devemos fazer com todos. Do contrário, continuaremos perdendo as pessoas para o mundo, que, pelo jeito, parece acolher, entender e perdoar muito mais do que nós.

Por outro lado, se você é aquele que tem caído e sido atacado pelas pedras que alguém tem atirado, vá em paz. Porque O único que teria poder, habilidade, suficiência e gabarito para fazer isso, escolhe não te condenar. E esse mesmo Homem que não te condena, é Aquele que pode te levantar quando você cair. O seu papel é apenas dizer sim.

Hoje, apesar de ser o nosso advogado perante Deus Pai, antes de Jesus subir aos Céus, Ele prometeu que não nos deixaria órfãos, nos enviando, em razão disso, o Espírito Santo. Um dos dias mais extraordinários da minha vida foi quando descobri o que significava a figura do Espírito Santo. Eu estava na escola dominical e o professor havia dito que uma das traduções para Espírito Santo no original era *Parakleto*. O *parakleto*, ele nos explicou, era uma espécie de assistente de advogado da Antiguidade, que completava e supria a defesa do réu quando este não era capaz de dizer o que realmente gostaria. Em outras palavras, o *parakleto* auxiliava e falava em nome do réu, se este, por algum motivo, não conseguisse se expressar. Ele absorvia o que o acusado estava comunicando e se colocava em favor deste, aprimorando o discurso para que se tornasse compreensível. Aquele esclarecimento fez ainda mais sentido para mim anos mais tarde, quando me formei em Direito. Durante cinco anos, eu estudei para me tornar um advogado e descobri que este é limitado dentro da lei para falar por alguém, já que só pode dizer aquilo que o cliente autoriza. O advogado é restrito à fala do cliente, ele não pode criar além, o que significa que ele só pode responder por alguém quando tem legitimidade para tal ou quando o juiz manda. O *parakleto* não. Ele é diferente porque tem legitimidade para falar em nome de alguém quando essa pessoa não sabe como comunicar. É como uma mãe que tem um filho pequeno que ainda não aprendeu a falar completamente e que se comunica de maneira embolada. A mãe conhece aquele bebê de forma distinta e, por isso, entende todas as coisas que ele diz, mesmo que não faça sentido para as outras pessoas. Ela conhece tanto o filho, que entende a linguagem dele. Assim é o Espírito Santo conosco.

Segundo o livro do Dr. David Paul Yonggi Cho, *O Espírito Santo, Meu Companheiro*: "*Parakleto*, ou Consolador, tem sua raiz em duas palavras gregas que significam 'ao lado de alguém' e 'chamar'. Etimologicamente, esta palavra originou-se nos tribunais de justiça. Quando um réu era pressionado pelo promotor público e não sabia como se defender, ele olhava ao redor procurando encontrar alguém que o pudesse ajudar. Ao descobrir o rosto familiar de um amigo influente, o réu se dirigia a ele, e o amigo então atravessava a multidão e se colocava ao lado do réu. Daquele momento em diante, aquele amigo ficaria a seu lado como seu *parakleto*, e o ajudaria a defender-se. O consolador é aquele que dá conforto, refrigério, e é chamado para ficar ao lado de uma pessoa que está em dificuldade" (CHO, 1996, p.38 e 39). O Espírito Santo é o nosso *parakleto*. Ele tem legitimidade para falar por mim e por você, quando nem ao menos sabemos o que precisamos. Ele intercede por nós e sonda o nosso coração e, pela proximidade que tem conosco, é capaz de expressar e expor ao Pai o que necessitamos de verdade.

As Escrituras nos afirmam que o Espírito Santo conduz ao Pai as nossas orações com gemidos inexprimíveis. Quando faltam palavras, Ele não apenas interpreta as nossas lágrimas, como também as completa e intercede por nós naquilo que realmente precisamos. Quando faltar perdão, Ele é capaz de nos convencer e ajudar nesse processo. Quando faltar arrependimento, se ouvirmos a Sua voz, Ele dirá: "Arrependa-se". Porque foi isso que Ele veio fazer: nos convencer do pecado, da justiça e do juízo. Ele está em nós e age através de nós. Ele é mais do que um vento, um arrepio ou uma língua estranha, Ele é o nosso *parakleto*. Deus está no Céu, preparando a nossa casa; Jesus já está lá e é o nosso advogado, mas Ele não nos deixou sozinhos, Ele nos enviou o Consolador, que constantemente está disposto a nos oferecer uma segunda chance. Ele, que sonda todas as coisas, inclusive as profundezas de Deus, conhece os nossos corações, pensamentos e aquilo que necessitamos de fato.

Porém, é essencial entendermos também que, apesar de o Espírito Santo ter sido enviado para nos auxiliar, convencer do pecado, justiça e juízo, e, por meio de Jesus, termos conseguido uma segunda chance, vale lembrar que qualquer segunda chance só tem espaço para acontecer quando há o reconhecimento do erro e mudança de caminho. Ou seja, se houver arrependimento. Ninguém que acredita estar certo, seja por orgulho, cegueira ou tolice, assume o seu erro, ainda que o resultado seja a redenção. O arrependimento é o primeiro passo para a conquista de uma nova oportunidade, seja com

Deus ou em qualquer âmbito de nossa vida. E foi exatamente isso que o rei da cidade de Nínive, descrito no livro de Jonas, entendeu.

A Bíblia nos conta a respeito do profeta que dá nome ao livro, Jonas, que foi comissionado por Deus para pregar o arrependimento para Nínive, uma cidade extremamente corrupta e maliciosa. Contudo, por conhecermos essa história desde crianças e sempre termos sido ensinados a respeito do grande peixe, pensamos que o fato de Jonas ter sido engolido por ele é a parte mais importante da narrativa, quando, na verdade, alguns detalhes nos fazem entender que ela tem muito mais a ver com arrependimento e amor do que com a estada do profeta dentro da barriga daquele peixe.

Em Jonas 4.2 lemos:

> E orou ao Senhor e disse: Ah! Senhor! Não foi isso o que eu disse, estando ainda na minha terra? Por isso, me preveni, fugindo para Társis, pois sabia que és Deus piedoso e misericordioso, longânimo e grande em benignidade e que te arrependes do mal. (ARC)

Confesso que quando li esse texto pela primeira vez, pensei que tivesse encontrado uma heresia na Bíblia, já que me lembrava do versículo que dizia: "Ele não é homem para que minta; nem filho do homem para que se arrependa" (Números 23.19a). Como Jonas poderia dizer que Deus se arrepende? As duas coisas não se encaixavam para mim. Apenas depois de ter lido o livro inteiro que consegui assimilar algumas coisas dessa passagem. Se lermos a história completa de Jonas, perceberemos que a voz de Deus o encontra e comissiona a pregar em Nínive. Não PARA Nínive, e sim CONTRA Nínive. Porém, o curioso é que os relatos históricos nos revelam que existia uma rixa entre Nínive e a cidade de Jonas, o que as tornavam inimigas. É evidente que uma pregação dessa magnitude seria bem difícil de ser anunciada. Mas comecei a me questionar por que Jonas não iria querer pregar para os seus inimigos, que Deus os mataria? Isso sempre me soou estranho. Imagine que alguém tenha um inimigo, e que Deus revela àquele que matará o seu opositor. Não há dúvida de que a primeira reação de qualquer um seria provocar o seu inimigo, certo? Então, a pessoa com a mensagem divina, provavelmente, diria: "É o seguinte, você é meu inimigo, e Deus que é meu amigo, mandou dizer que vai te matar!". Esse era o papel de Jonas. Mas, estranhamente, ele decide não ir. Não só isso, mas opta por pegar o caminho contrário à cidade.

Você já assistiu a um filme que só conseguiu entender todo o enredo no final? O livro de Jonas é basicamente assim, porque antes da leitura do último capítulo é complicado ter clareza dos fatos na história. No capítulo final, Jonas menciona uma conversa que havia tido com Deus logo no início da narrativa, porém ela não tinha sido citada antes, o que só nos permite entender no fim o porquê de ele decidir ir para Társis ao invés de Nínive, conforme descrito em Jonas 4.2b:

> ... pois sabia que és Deus piedoso e misericordioso, longânimo e grande em benignidade e que te arrependes do mal. (ARC)

Jonas conhecia a Deus. Ele conhecia a Deus demais. Em razão disso, o profeta sabia que se pregasse juízo contra Nínive e a cidade se arrependesse, o Senhor se arrependeria de destruí-los também. Porque Deus é *piedoso e misericordioso, longânimo e grande em benignidade e que te arrependes do mal*. Em outras palavras, Jonas não queria pregar para aquela cidade porque ele não queria a redenção do seu povo inimigo, e sabia que se pregasse contra eles, todos se arrependeriam e Deus lhes daria uma segunda chance. Quer dizer, ele chegaria na cidade inimiga, anunciaria aquelas duras palavras, arriscaria a sua vida, colocaria em jogo o seu conforto e futuro, sendo que Deus se arrependeria de matá-los no fim? Jonas não faria esse papel de bobo. E foi aqui que eu comecei a me questionar sobre aquele versículo de Números que dizia que Ele "não é filho do homem para que se arrependa". Mas o que eu não tinha percebido é que o verso de Jonas no capítulo 4 tem um complemento: "Não se arrependes **do mal**".

Desconfio que já havia graça no Velho Testamento. Porque a graça é imerecida. Deus não queria destruir a cidade de Nínive, mas salvá-la, mesmo que o arrependimento ainda não tivesse alcançado aquele povo. E, apesar da fuga e resistência de Jonas em compartilhar a mensagem que os libertaria, Ele continuava estendendo graça para Nínive.

A Bíblia nos mostra que, após subir a bordo do navio que ia para Társis, Jonas acabou condenando todos os que estavam com ele por causa de sua desobediência. Com a formação de uma grande tempestade que atingiu o navio, os que estavam a bordo começaram a jogar suas coisas ao mar para equilibrar o peso.

Quando estamos fora da presença e direção de Deus, quem está conosco paga um alto preço. Aquelas pessoas acabaram perdendo o que tinham, porque Jonas estava fora da direção de Deus. E a verdade é que nem sempre Deus mudará você; algumas vezes, Ele mudará o caminho para mudar você. Aquela tempestade significava exatamente isso. É como se Deus dissesse: "Tudo bem, você pode fazer o que quiser... mas se prepare porque terá uma tempestade para te fazer mudar de ideia...!".

Os marinheiros, ao perceberem que Jonas era o responsável por aquela agitação, decidem jogá-lo em alto mar. Então, o Senhor preparou um grande peixe para que tragasse Jonas; e este ficou três dias e três noites nas entranhas do animal, que, após esse período, vomitou o profeta em terra seca. Acredito que depois de tantos acontecimentos e esforços, Jonas talvez pensasse que Deus fosse, de fato, destruir a cidade de Nínive. Assim, quem sabe motivado por essa ideia, ele começa a anunciar o juízo do Senhor por toda a cidade. O rei de Nínive, ouvindo aquelas palavras e levantando do trono, tirou as suas vestes, cobriu-se de pano de saco, e se lançou ao pó. Em seguida, fez uma proclamação que se espalhou por toda a cidade, dizendo: "... Nem homens, nem animais, nem bois, nem ovelhas provem coisa alguma, nem se lhes dê alimentos, nem bebam água". Era chegado o arrependimento.

> E Deus viu as obras deles, como se converteram do seu mau caminho; e Deus se arrependeu do mal que tinha anunciado lhes faria, e não o fez. (Jonas 3.10)

Deus se arrependeu e não os destruiu. A graça sempre esteve sobre nós, o Homem é que demorou para entender. Mas a história não termina por aí. A Palavra diz que Jonas, extremamente irritado ao perceber que Deus não destruiria mais a cidade, se retira para as montanhas. "É POR ISSO QUE EU NÃO QUERIA TER VINDO PARA CÁ! PORQUE O SENHOR É MUITO BOM, MUITO LONGÂNIMO, BENIGNO...! FOI POR ISSO QUE EU NÃO QUERIA TER VINDO!".

Chegando às montanhas, que ficavam ao oriente da cidade, fez uma cabana e se sentou à sombra dela, ainda esperando a destruição de Nínive. Enquanto aguardava, Deus fez nascer uma aboboreira, que além de gerar sombra, o livrou do calor. Então, a Palavra diz que Jonas ficou extremamente feliz por aquela árvore. Contudo, logo no dia seguinte, o Senhor permitiu que um verme comesse a raiz e a planta morresse. Ao acordar e perceber que a aboboreira havia morrido, Jonas passou a questionar a Deus: "Como o Senhor fez uma coisa dessas? Para mim, seria melhor morrer do que viver!". Então, Deus lhe apresenta um contraponto: [1]"Você teve compaixão de uma árvore que nasceu e acabou de morrer... quanto mais Eu que formei e vi esse povo crescer não teria compaixão e daria uma segunda chance?". O foco não era a aboboreira, mas o coração de Deus pelo povo. Se a ligação afetiva de Jonas com aquela árvore já era forte mesmo com um dia, quanto

---

[1]Parafraseando a Bíblia

mais a de Deus com aqueles que Ele tinha uma história. A partir daquela árvore, o Senhor estava justificando para Jonas o porquê de Ele haver se arrependido do mal. Porque quando se trata de mim e de você, falamos do ponto fraco de Deus. Ele não resiste a um coração quebrantado e arrependido. E este, na realidade, é o verdadeiro sacrifício:

> Os sacrifícios para Deus são o espírito quebrantado; a um coração quebrantado e contrito não desprezarás, ó Deus. (Salmos 51.17)

O arrependimento e o quebrantamento atraem a presença de Deus. Quando nos arrependemos, a graça nos invade e somos perdoados. A vontade de Deus sempre será nos ter por perto. Ele é bom e constantemente está pronto a perdoar a todos aqueles que O invocam (Salmos 86.5). Não existe mais culpa, medo ou fardo pesado demais, porque onde existir arrependimento, existirá uma segunda chance. Chance esta que só pode ser oferecida por quem entendeu o lugar de onde foi resgatado. Todos pecaram. Todos estão destituídos da glória de Deus e carecem da graça. Uma vez que entendemos a nossa igualdade diante de Deus, passamos a caminhar em humildade, amor e arrependimento. É claro que oferecer uma segunda chance, por vezes, pode ser até doloroso, mas se torna o único caminho; afinal, aquele que muito foi perdoado muito ama (Lucas 7.47).

CAPÍTULO 4

Fases da Vida

Existem pouquíssimas coisas que nós, pós-modernos, valorizamos tanto quanto o tempo. Hoje, "tempo é dinheiro", dizemos. Isso porque, a cada dia mais, ele parece encurtar. O que antes aparentava durar mais, agora tem gosto de *fast food*. Talvez o tempo esteja mesmo passando mais rápido ou, talvez, seja apenas a nossa rotina frenética que não sabe mais se comportar diante de tantos compromissos, distâncias, correrias e agitação. Entretanto, mesmo com o relógio contra nós, existe algo que não temos como apressar: as fases da vida. Não importa o quão poderoso e influente você seja ou se ninguém nunca ouviu falar a seu respeito, não há nenhum ser humano que possa pular as estações de sua vida.

Contudo, é bem verdade que muitos, despreocupados com os efeitos que seu desrespeito a essas fases podem gerar em si mesmos, decidem viver fora do tempo correto, do que chamamos *Kairós* de Deus, e, com isso, colhem graves consequências, ainda que nunca tenham parado para refletir sobre isso. Essas pessoas, em geral, tendem a fracassar com muito mais facilidade, já que têm uma visão diferente da de Deus, que enxerga sem nenhuma limitação. E é sobre isso que Jeremias 18 nos fala:

> Levanta-te, e desce à casa do oleiro, e lá te farei ouvir as minhas palavras.
> E desci à casa do oleiro, e eis que ele estava fazendo a sua obra sobre as rodas, Como o vaso, que ele fazia de barro, quebrou-se na mão do oleiro, tornou a fazer dele outro vaso, conforme o que pareceu bem aos olhos do oleiro fazer. Então veio a mim a palavra do SENHOR, dizendo: Não poderei eu fazer de vós como fez este oleiro, ó casa de Israel? diz o SENHOR. Eis que, como o barro na mão do oleiro, assim sois vós na minha mão, ó casa de Israel. (Jeremias 18.2-6)

Este texto, apesar de conhecido, é um daqueles que lemos a vida inteira, mas, por algum motivo, contamos a história errada. Todas as vezes que lia ou ouvia qualquer pregação a respeito dessa passagem, nunca tinha reparado que, na realidade, o vaso não havia sido quebrado pelo Oleiro e em seguida refeito. Ou seja, Deus, na figura do Oleiro, nunca quebrou vaso nenhum. Até porque isso poderia ser considerado, de certa forma, uma falta de perícia da Sua parte, afinal seria muito mais inteligente aproveitar o material que já existia e trabalhar no conserto, do que destruir completamente para fazer de novo. Deus não é negligente, não Lhe falta habilidade, isso eu garanto. Inclusive, a Palavra nos afirma que Ele é perfeito em tudo o que faz, o que só reforça que se Ele mesmo prefere nos moldar a nos destruir, quer dizer que ninguém se encontra irrecuperável demais que não possa ser transformado em vez de destroçado (Salmos 18.30). Em muitos momentos, pensamos ter dado tão errado que não temos mais jeito. Mas isso é mentira. Não importa o quão no fundo do poço você esteja, Deus ainda assim pode lhe tirar de lá.

 O interessante é que o capítulo de Jeremias continua dizendo que, na verdade, foi o vaso que se quebrou, e não o Oleiro que o destruiu. Deus nunca nos trata como se não servíssemos para nada ou como se Ele tivesse uma matéria-prima melhor apenas aguardando para ser usada quando fôssemos destruídos. Não existe matéria-prima neste mundo que Ele não possa trabalhar, porque além de habilidoso, Deus é paciente. Tudo bem se o vaso se quebrar, pois Ele é perseverante em nos consertar e moldar outra vez. Na realidade, o melhor lugar para o vaso quebrar é nas mãos do Oleiro. Não apenas porque Ele pode consertá-lo, mas porque o Oleiro é o único que olha para o barro e tem a capacidade de enxergar um vaso. Muitas vezes, temos tanta poeira, sujeira, tantos pedaços quebrados em nós, que ninguém é capaz de acreditar que um dia poderemos nos tornar vasos novos outra vez, nem mesmo nós. O Oleiro, contudo, nos vê como somos e como seremos. É Ele quem nos fez e molda, quem nos dá valor, porque nós por nós mesmos sempre seremos barro.

Entretanto, 2 Coríntios nos diz:

> Temos, porém, este tesouro em vasos de barro, para que a excelência do poder seja de Deus, e não de nós. (2 Coríntios 4.7)

O que temos de mais precioso em nós é O tesouro que recebemos do Céu. Quem merece a glória é Quem está dentro, e não o recipiente em si. Mas por mais pó que sejamos, Ele ainda assim escolheu nos moldar e chamar de casa. E que honra podermos ser reconhecidos como o lugar onde o Espírito Santo mora. Tantas vezes focamos no que queremos, vivendo de maneira impensada e irresponsável sem nos importarmos com Aquele que habita em nós (1 Coríntios 6.19-20). O próprio Deus escolhe tomar por casa vasos simples e frágeis.

O processo de produção de um vaso, nas olarias primitivas, era muito exclusivo, já que era feito à mão um por um. Começava com a coleta de matéria-prima, geralmente barro ou argila, que, inicialmente, ficava exposta ao sol para que a decomposição do material orgânico, resíduos animais ou vegetais, acontecesse. Em seguida, essa matéria-prima era modelada de acordo com a forma desejada em uma máquina manual chamada roda ou roda de oleiro, que funcionava a partir do movimento feito pela força da perna do oleiro. O barro era colocado, então, sobre um disco pesado, naquela época, feito de pedra ou madeira, e, assim, conforme o oleiro movimentava o disco e o barro girava em cima dele, o artista, pouco a pouco, umedecia as mãos com água para moldar a peça. Logo após essa etapa, o vaso passava por um período de secagem, em que o excesso de umidade era retirado, até chegar à última fase em que ia para o cozimento no forno.

Cada vez que penso nesse processo, eu me fascino ainda mais, não apenas pela maneira como Deus escolheu nos retratar em Jeremias, mas também pela forma como Ele se envolve em nossas fases. Enquanto nos molda, Ele mesmo faz questão de colocar as Suas mãos em contato direto com o barro do nosso ser. Quando isso acontece, Suas digitais e Seu coração também fazem parte dessa modelagem, e, quanto mais deixamos com que Ele nos molde, mais Suas digitais são impressas em nós.

O problema é que sempre julgamos estar prontos demais. O tempo inteiro estamos querendo fazer acontecer, defendemos que já passamos pelas mãos do Oleiro, que já fomos muito moldados, e que o que precisamos mesmo é sair para cumprir todas as promessas que recebemos. Então, em diversos momentos, tentamos nos promover como pregadores, missionários, líderes de adoração e tantos outros cargos, quando, na verdade, Deus ainda não nos deu carta verde para sairmos da olaria. "Ainda não é a hora, você está muito mole! Se Eu tirá-lo daqui agora você irá desmanchar!".

Por outro lado, é bem verdade também que o nosso processo de modelagem durará até a volta de Cristo, afinal, sempre teremos de ser transformados em nosso caráter, emoções e tudo o que envolve a nossa alma. Mas o que não pode acontecer é desrespeitarmos as fases. No instante em que passamos a querer pular as estações e processos em nossa vida, estamos mais próximos do fracasso do que nunca, porque não é possível completarmos o que Deus espera de nós sem passarmos por transformações constantes na casa do Oleiro. A maturidade, coração tratado e um caráter aprovado só tem espaço para se desenvolver à medida que somos tratados por Deus. Dessa forma, os cargos, posições e tudo o que faremos serão apenas uma consequência de quem somos, e não aquilo que nos define.

Muitos têm caído no erro de pensar que por fazerem demais, serem conhecidos ou terem uma posição são modelos e referências, mas isso não quer dizer nada se não tiverem sido moldadas, e continuarem sendo, pelo Oleiro. Apenas Deus é Aquele que sabe e se envolve em cada fase que passamos. Algumas duram mais, outras menos, mas somente Ele é capaz de nos permitir ou não viver a próxima fase. O nosso papel é simplesmente nos deixarmos moldar, confiar e ter convicção de que Aquele que nos chama é quem nos colocará onde devemos estar no momento certo. Se isso acontecer, temos a garantia de que, para cada fase que vivermos, teremos um caráter firme para suportar os desafios que ela nos trará. É por esse motivo que se faz tão necessária a submissão e a prestação de contas a uma liderança que pastoreará com amor e verdade. Precisamos estar enraizados em igrejas saudáveis, que proporcionarão confrontos e cuidados, porque sozinhos não chegaremos muito longe. Necessitamos uns dos outros para sermos afiados e aperfeiçoados para o nosso destino. E, nisso, temos a certeza, também, de quem são aqueles que se autopromovem e aqueles a que Deus levanta. Infelizmente, muitas pessoas que pensamos que foram levantadas por Deus, na verdade, não o foram, porque, se tivessem sido, já teriam vencido a soberba, a altivez, a arrogância, não tratariam mal as pessoas nem fugiriam da Igreja. Quando Deus levanta alguém, é necessário ter ciência que isso implicará em não sair da ótica de Quem o fez e moldou. Em Lucas 24.49b, a Bíblia conta o que Jesus disse aos Seus discípulos:

> ... ficai, porém, na cidade de Jerusalém, até que do alto sejais revestidos de poder.

Essa passagem é o Oleiro examinando os vasos e dizendo que eles ainda não estavam prontos. Imagine esses homens, após terem andado três anos e meio com Jesus, e ainda, assim, não serem considerados prontos. Eles acordavam e dormiam com o Mestre. Dia e noite, durante anos, eles tiveram experiências com Cristo. Conheceram Jesus e foram totalmente transformados em sua maneira de pensar, agir e encarar o mundo e as pessoas. Eles haviam visto curas, pecados perdoados, multiplicações de comida e bebida, demônios sendo expulsos, corações de pedra se tornando corações de carne, viram tempestades se acalmando, e um deles, inclusive, até andou sobre as águas. Eles aprendiam em absolutamente todos os instantes com Cristo. E, ao final, não eram mais aqueles que haviam sido quando começaram a caminhar com Jesus. Porém, ainda assim o Mestre não os considerava prontos o suficiente para o que viria a seguir.

Para cada fase de nossa vida, temos a necessidade de uma capacitação especial. É por isso que não podemos pular as estações. Dentro disso, é importante mencionarmos que nem mesmo a intimidade pode acelerar os processos que vivemos. Porque ter intimidade não significa que estamos prontos. Saber a respeito de Jesus e do Seu poder não nos torna capazes. Nós precisamos de algo mais; precisamos respeitar o que cada fase nos trará. E era exatamente isso o que Jesus estava dizendo, porque, se eles saíssem de Jerusalém antes de serem revestidos de poder, estariam desrespeitando uma fase muito importante, sem a qual eles não seriam capazes de continuar.

Hoje, esse processo ainda não mudou. Mais de 2000 anos depois e Deus continua trabalhando em nossas vidas por meio de pequenas fases. Ele sabe que somos voláteis, que não temos estabilidade, que desistimos rapidamente e que nos achamos bons demais. Mas a partir do momento em que nos colocamos em posição para voltar à olaria e passar pelo processo, somos habilitados pelo Céu para continuar a carreira que nos foi proposta. Atos 1.8 afirma:

> Mas recebereis a virtude do Espírito Santo, que há de vir sobre vós; e ser-me-eis testemunhas, tanto em Jerusalém como em toda a Judéia e Samaria, e até aos confins da terra.

É uma condição. Sermos testemunhas de Cristo está condicionado a recebermos poder do alto, capacitação do Espírito Santo. Não só isso, mas o versículo reforça a importância de começar em casa até chegar o momento de ir aos confins da Terra. Muitos pensam já estar preparados para ir aos confins da Terra, sendo que nunca se colocaram em posição de aprender, serem repreendidos e passarem pelo processo em casa. Todos querem ir para a África, mas ninguém quer evangelizar a sua cidade. Quem sabe a sua África seja a sua própria família. Quem sabe sejam seus vizinhos. "Não, eu vou ganhar o mundo inteiro! Eu vou fazer, eu vou ajudar, vou conquistar". Às vezes, Deus colocou o mundo inteiro na sua rua, mas porque você se recusa a passar pelo processo e deixar que Ele lhe revele a Sua vontade, você continua vivendo, não apenas a fase errada, mas também caminhando para longe do que realmente nasceu para ser e fazer. Isso sem contar que essa é uma das características que delatam pessoas que ainda não estão prontas.

Acredito que uma das maiores provas de que estamos caminhando para a direção correta é quando entendemos que não estamos prontos, e abraçamos o processo. Assim, conforme passamos tempo nas mãos do Oleiro, recebemos o algo a mais que precisamos para ir adiante, além de sermos transformados em nossa alma.

Eu me lembro de quando comecei a pregar e Deus usou um pastor para me tratar e mudar o meu jeito de pensar. Esse pastor era um homem extremamente de Deus e muito usado em suas pregações. Ele era realmente uma pessoa extraordinária. Na época que ele chegou para assumir como pastor principal na minha igreja, eu era líder de jovens. Apesar de não serem muitos, eu já recebia alguns convites para pregar. Eu me recordo que a primeira vez em que fui conversar com ele, logo expus a próxima data em que pregaria em outra igreja. O pastor, sorrindo, apenas respondeu: "Filho, você não vai, tudo bem? Eu preciso de você aqui na igreja!". Instantaneamente, o meu coração não tratado e acostumado sempre em receber o sim se manifestou. "Como assim eu não vou? Eu sou voluntário aqui, e não integral! O senhor não manda em mim!", pensei. Naquele dia, eu voltei para casa e a única coisa que conseguia pensar era em bolar uma estratégia que me fizesse ganhar o coração daquele homem. Foi quando decidi ir à casa do meu pastor para pressioná-lo. Eu disse: "Pastor, o senhor não sabe! Deus é fiel demais! Ele realizou um sonho da minha vida! Sério, pastor, o senhor não tem ideia do que Deus é capaz de fazer quando somos fiéis! Glórias a Ele!". Aquele homem, sorrindo e concordando com os atributos divinos que eu mencionava, continuava à espera do que eu havia de contar. Então lhe disse: "Pastor, Deus realizou um sonho da minha vida! Fui convidado para pregar naquela igreja X". De forma descomplicada, ele apenas me respondeu: "Poxa, filho, infelizmente acho que não será possível você aceitar! Preciso de você neste final de semana". E por quatro meses eu recebi os nãos do meu pastor. Quatro meses voltando para casa com nãos. Entretanto, hoje, eu entendo e agradeço os nãos que recebi da parte de Deus, porque foram eles que revelaram quem eu era e o quanto ainda precisava descer à casa do Oleiro.

 O segredo está em viver cada fase e não sair da casa do Oleiro até ouvir d'Ele o que é preciso fazer. O nosso problema é que pensamos que pelo fato de termos formato de vaso isso já basta. Contudo, se o barro ainda está molhado e mole, qualquer que colocar a mão em cima pode amassá-lo, porque ainda não está pronto. Isso sem contar que, quando o barro ainda está molhado, tudo o que for depositado no vaso irá aderir à estrutura dele. Em outras palavras, Deus é tão bom que não permite com que recebamos tesouros sem que estejamos prontos, para que eles não se unam a nós e guardemos essas riquezas apenas para nós. Os tesouros em nós precisam ser compartilhados. Porque não somos o foco, não tem a ver conosco. E esse é um outro jeito de descobrirmos um coração não tratado. Pessoas que falam muito de si e tentam constantemente se promover revelam o quão longe estão da olaria.

Após a modelagem, é necessário ir para o fogo, e é aqui que muitos desistem. Algo que temos de aprender é a ter mais resiliência e paciência durante o processo. Na maioria das vezes, ele doerá, nos levará ao limite, esmagará o nosso ego e tratará o nosso coração, porém, se não nos submetermos a ele, tudo o que colecionaremos na vida será raiva, frustração e, como consequência maior, racharemos dentro do forno, o que implicará em recolhimento dos cacos e recomeço de todas as etapas. Agora, quando respeitamos e abraçamos o processo, o cozimento do vaso é realizado no tempo certo, e, quando o forno é aberto, o vaso está pronto. Enquanto esperamos a realização do plano de Deus, temos de parar de reclamar e nadar contra a maré. O processo é intrínseco à vida cristã. Aprender a esperar com paciência é o que torna a trajetória mais leve e coopera para que o processo demore apenas o tempo necessário para que a capacitação e a mudança aconteçam. Muitas pessoas acabam passando o dobro, o triplo e, às vezes, até mais tempo, por tentarem lutar contra os processos de Deus. Então, passam a vida inteira na mesmice. Tem quarenta anos de igreja, mas nunca levaram uma alma para Jesus, a família continua desviada, a vida não prospera e nunca vai para frente. Tudo é sempre igual, desde o começo, porque não se permitiram passar pelas mãos do Oleiro e ir para o fogo. Quando o forno se abre, lá está o vaso quebrado novamente, que precisará ter seus pedaços recolhidos, ser encharcado, moldado, tomar a forma de vaso para depois ir para o forno de novo, e ver se, dessa vez, o vaso sairá pronto do processo.

    A Palavra nos revela em Atos 2 que os discípulos fizeram conforme Jesus havia dito. Eles estavam reunidos e esperando no mesmo lugar. Respeitaram, obedeceram e se submeteram às fases. Foi quando, de repente, "veio do céu um som como de um vento impetuoso e encheu toda a casa onde eles estavam". Aquilo que eles estavam esperando, finalmente, havia chegado. A partir dali eles tinham algo a mais. Deus tem o tempo perfeito, o timing certo para que cada coisa aconteça exatamente no instante em que precisa ocorrer. Quando tentamos acelerar as fases e fazer por nossas forças, o nosso discurso e tudo o que fazemos se torna vazio, porque não veio de um lugar em que foi necessário o tratamento e, por isso, não tem verdade. Então, o que falamos, fazemos e baseamos a nossa vida é um monte de experiências e discursos que ouvimos de outras pessoas que decidiram passar pela casa do Oleiro que rejeitamos. Por algum tempo, pode até convencer, mas uma hora ou outra será desmascarado e cairá em descrédito, porque todo mundo sabe quando algo não é verdadeiro.

Os discípulos, mesmo após tantos anos andando e convivendo dia e noite com o Mestre, ainda não estavam prontos até a descida do Espírito Santo. Pouco antes de Jesus ser crucificado, Pedro, por exemplo, havia cortado a orelha de um soldado, negado a Jesus e ficado amargurado a ponto de desistir de tudo o que havia vivido. Entretanto, alguns dias mais tarde, ele estava pregando com ousadia e coragem para uma multidão em que mais de três mil almas foram salvas. Não sabemos o tempo em que ficaremos no forno, mas Deus sabe o tempo certo que precisamos permanecer ali. Talvez, assim como Pedro, o romper que necessitamos esteja a apenas alguns dias de distância de nós, mas se não respeitarmos a fase, podemos comprometer todo o trabalho da olaria.

É essencial deixar claro também que cada pessoa tem o seu processo. Ninguém é igual a ninguém. E o que serve para mim nem sempre será o que Deus deseja fazer nas outras pessoas. Cada um precisa aprender a respeitar a sua própria fase, o seu próprio processo, e também as fases e processos das outras pessoas. Aprendi bastante a respeito disso com o meu filho. O João não tem nem um ano de idade ainda, o que quer dizer que suas perninhas ainda não têm força para andarem sozinhas. E, embora eu o segure em pé e o ajude a treinar dia após dia a como se firmar e tentar dar os primeiros passos, eu preciso respeitar a sua fase. Respeitar que o processo dele demanda tempo e que ele não sairá andando somente porque eu quero. Daqui a algum tempo, o meu filho aprenderá a andar, pular e correr, mas, enquanto isso não acontece, eu aprendo com ele ainda mais sobre a importância de ser fiel a cada fase.

    Volte para a casa do Oleiro. Não lute contra os processos, não retarde as fases, mas se deixe ser transformado e capacitado por Ele, porque nós somos barro e não passamos disso, porém Ele nos enxerga como vaso mesmo antes de irmos para o forno. Ele nos conhece, nos ama e nos fez e, por isso, sabe o tempo certo que precisamos para nos tornarmos vasos prontos. Se por amor Ele se oferece a sujar as mãos e se envolver em nossas fases, isso nos garante que não importa o tempo, Ele sempre estará ao nosso lado em todos os processos, e essa é a única coisa que precisamos saber.

CAPÍTULO 5

Carência

Quando eu era menino, os meus melhores amigos eram os meus primos. Fazíamos quase tudo juntos, inclusive ir à igreja. Como tínhamos crescido nesse contexto, conhecíamos as histórias bíblicas de trás para frente, as letras das músicas quase melhor do que as professoras da escola dominical e, é claro, uma lista interminável de versículos de cor, que, muito espertamente usávamos para passar cantadinhas nas meninas. Os mais frequentes sempre vinham do livro de Cantares. E, apesar de acharmos essa estratégia altamente inteligente, no fundo, não entendíamos muito bem o que eles queriam dizer. Mesmo com as cantadas e, mais tarde, com leituras mais intensas desse livro, confesso que nunca tinha parado para analisá-lo profundamente; até o dia em que eu estava pegando um voo de volta para casa e um pastor sentou ao meu lado. Os que me conhecem de perto sabem que eu sou extremamente falante e gosto muito de conversar, mas, naquele dia, eu não consegui dizer absolutamente nada; e não era porque o pastor falava demais, e sim porque eu escolhi não falar. Eu decidi ouvir e nada mais.

Durante uma hora, aquele homem falou a respeito de vida com Deus, secreto, intimidade, jejum e oração, e aquelas palavras eram tão fortes e penetrantes, que a única coisa que eu conseguia pensar enquanto ele compartilhava aquilo comigo era: "Eu preciso pregar isso que ele está me dizendo! Eu vou pregar essa palavra!". Em certo momento, ele abriu a Bíblia em um texto de Salomão, e, após fazer uma leitura rápida, começou a trazer à tona tesouros sobre aquela passagem. Como tudo o que ele dizia era impressionante! Aquele homem exalava vida! Ao mesmo tempo, aquele pensamento persistia dentro de mim: "Uau! Eu preciso pregar o que ele está dizendo!". Assim que havia pensado novamente na ideia de subir no púlpito para chocar o mundo com as palavras daquele homem, ele virou para mim e disse: "Pastor Deive, sabe qual é o nosso problema? É que tudo aquilo que ouvimos, queremos pregar!". Engoli seco e percebi o meu coração acelerando instantaneamente. Sorri, um pouco sem graça, como se ele fosse capaz de ler a minha mente e continuei olhando para seus olhos. "Será que ele leu?", pensei comigo. A essa altura, tomado de vergonha, tentei me recompor e perguntei o que o pastor queria dizer. Então, aquele senhor respondeu: "Nós temos a mania de achar que absolutamente tudo o que pensamos ser bonito, legal, admirável, ou até mesmo pejorativo, é para os outros, e não para nós. Queremos sempre aplicar para os outros, falar para os outros, pregar para todo mundo! Esse é o problema da nossa geração: tudo é para os outros! Nós lemos um texto e pensamos no quanto é excelente para postarmos no *Facebook*. Até procuramos no *Google*: 'textos para publicar nas redes sociais'. Textos sobre fé, coragem, oração, vida com Deus e qualquer outro assunto, porque estamos o tempo inteiro querendo mostrar para os outros".

Quando ele terminou de falar, a minha vontade era de colocar para fora todo o choro que havia em meu coração. Como eu estava envergonhado! Eu era exatamente assim. Aquele homem, em poucos minutos, havia me descrito. E, mesmo com a dor e vergonha que senti naquela hora, fiquei feliz por ter tido a chance de ouvi-lo, porque aquela verdade, de alguma forma, me libertou. Como eu estava cego! Eu estava parando de viver a verdade da Palavra para, simplesmente, falar da realidade da Palavra para os outros. Os outros estavam chorando, mas eu não estava mais vivendo a realidade daquilo que eu ministrava para eles. O problema é que é muito visível quando você fala de algo que não compra; quando tenta vender algo que você não consome, porque não há verdade quando não há experiência. É muito legal falar de coisas bonitas, mas as coisas bonitas se tornam extraordinárias quando são a nossa prática.

Enquanto o pastor ministrava ao meu coração, ele comentou sobre os 21 dias que tinha ficado de jejum. Ao ouvir aquilo, os meus olhos brilharam e eu não consegui conter uma risada de espanto. Ele me contou que morava com a família nos Estados Unidos, e que certa vez o filho chegou em casa dizendo que ia entrar em um jejum que um amigo da escola estava fazendo por causa do Ramadã. 40 dias. Como qualquer pai diria para uma criança, o pastor tentou explicar para o filho o porquê de ele não poder fazer aquele jejum. Então, o menino, sem pensar muito, respondeu: "Pai, quem é você para falar de jejum para mim? O meu amigo pode falar porque os pais dele jejuam, ele jejua; o senhor não!". Arrasado pela situação e confronto do filho, o pastor decidiu jejuar por 21 dias. Terminado o período, ele escreveu um livro chamado *21 dias no lugar secreto*.

À medida que ele falava comigo, a minha vontade era de descer daquele avião e correr freneticamente para casa, me fechar no meu quarto, orar, conversar com Deus, e viver aquilo que eu precisava viver n'Ele para deixar de lado os outros. Hoje, eu tenho plena consciência de que tenho a oportunidade de ministrar sobre isso por onde eu vou, porque um dia eu me escondi dentro de um quarto para descobrir o significado disso. Sei que servir a Deus é um privilégio e amo fazer o que faço hoje. Porém, isso jamais substituirá ou será melhor do que apenas estar com Ele. Os cristãos falam tanto de vida com Deus, mas, muitas vezes, não têm absolutamente nenhuma vida com Deus. Vivemos em uma geração que diz que Deus é lindo, mas que nunca contemplou a magnitude de Sua glória dentro de um quarto. Uma geração que nunca chorou a ponto de não conseguir secar as lágrimas. Que nunca conseguiu viver aquilo o que fala, por isso é tão raso, tão vazio, e não conquista ninguém. Agora, quando falamos de algo que experimentamos, a realidade nos transforma primeiro. Assim, quando falamos, não são só palavras, mas vida fluindo através de nossa boca.

O segundo capítulo de Cantares tem alguns versículos que, após um estudo um pouco mais cuidadoso e apaixonado, me fizeram enxergar muitas coisas com outros olhos:

> Qual a macieira entre as árvores do bosque, tal é o meu amado entre os filhos; desejo muito a sua sombra, e debaixo dela me assento; e o seu fruto é doce ao meu paladar. Levou-me à casa do banquete, e o seu estandarte sobre mim era o amor. Sustentai-me com passas, confortai-me com maçãs, porque desfaleço de amor. A sua mão esquerda esteja debaixo da minha cabeça, e a sua mão direita me abrace. (Cânticos 2.4-6)

Na época em que eu era menino e usava essas passagens para tentar conquistar as garotas da igreja, eu realmente não entendia o que elas queriam dizer. Cantares é um livro poético, em que Salomão se declara à Sulamita e vice-versa. De maneira alegórica, compreendemos que nós fazemos parte dessas declarações como Noiva do Cordeiro, e isso é uma honra. No texto de Cantares 2, quem declara é a noiva, e essa possibilidade de revelar algo tão profundo e romanceado se dá exatamente pelo fato de que a prática acompanha aquilo que está sendo dito. Quando a noiva fala a respeito da macieira e do fruto é porque ela já se sentou embaixo e já experimentou. Quando ela diz para o amado que entre TODAS as árvores do bosque, ele é o seu amado, isso quer dizer que ela é alguém que tem olhos e viu; alguém que teve a opção de escolher. Ela olhou tudo ao redor, e concluiu: "Eu sei o que eu quero! Eu quero o meu amado!".

A nossa geração precisa ser mais assim. Nós pensamos que sabemos o que queremos. Mas quando alguém sabe o que quer, as atitudes que vêm em seguida trazem essa confirmação. A certeza do que queremos, por outro lado, torna-se mais fácil através da experiência. Uma vez que experimentamos, chegamos à conclusão do que queremos ou não. E é isso o que o versículo continua dizendo quando afirma que a noiva compara o amado com a sombra em que ela pode se assentar e descansar. Ela não olha de longe, não apenas contempla, mas experimenta.

Meses atrás, eu estava fora e, quando cheguei em casa, percebi que estava sem chave. Eu havia caminhado quase 10 minutos debaixo de um sol escaldante e, assim que cheguei onde moro, descobri que estava trancado para fora. Cansado e ofegante, passei a procurar apenas por uma coisa: sombra. A sombra é um lugar de descanso, de refrigério; um lugar em que temos a chance de nos ausentarmos do sol que, por vezes, pode nos assolar. Ali, o sol não só não nos alcança mais, como também não tem mais poder sobre nós. Precisamos sair do ativismo de falar, falar e falar, para, simplesmente, nos escondermos debaixo da sombra do Altíssimo. Não sei você, mas eu cansei de ouvir apenas mensagens na *internet* que alguém já pregou, ler textos que alguém já escreveu, contar experiências que alguém teve. Não! Quando a Bíblia se refere à noiva, dizendo que ela se assenta debaixo da sombra do amado e do seu fruto, que é doce, ela se alimenta, isso quer dizer que daquele fruto ninguém experimentou, pois é um fruto que o Amado entrega em mãos, já que vem d'Ele. Ninguém viu, ninguém soube. É exatamente isso que Jeremias clama no capítulo 33:

> Clama a mim, e responder-te-ei, e anunciar-te-ei coisas grandes e ocultas, que não sabes. (Jeremias 33.3 Almeida Revisada Imprensa Bíblica)

Algo que eu amo a respeito desse versículo é o passo a passo que ele nos ensina. Não tem como recebermos os segredos se não clamarmos primeiro. O único modo de termos acesso ao fruto que vem do Amado é por meio do clamor, da intimidade. Porque apenas quem se escondeu no secreto é quem viveu e, por isso, tem o que contar.

É triste, para não dizer hipócrita, tentar publicar e vender uma imagem de si mesmo que não condiz com a sua realidade de vida. É como quando vamos ao supermercado e compramos um salgadinho em promoção, esperando encontrar a promessa que a embalagem vendeu, e, ao abrirmos, nos depararmos com apenas metade do conteúdo.

É bem verdade que a *internet* abriu horizontes, possibilitou conexões e distribuiu conhecimento como nunca pensamos que fosse possível antes dela. Contudo, a linha é muito tênue entre o bem e o mal que ela pode causar em pessoas que não sabem lidar ou não têm a maturidade para entender até onde podem chegar utilizando-a de forma saudável. O melhor e o pior de nós sempre ficarão *offline*. É por esse motivo que tantos têm entrado em depressão e se tornado ainda mais dependentes da aprovação de homens, porque constantemente assimilam que o que é visto superficialmente, publicado ou curtido é a verdade absoluta sobre alguém. Como se este fosse apenas o que pode ser absorvido daquele breve momento ou postagem. Isso faz com que muitos queiram viver, agir, ter e ser como outras pessoas, o que além de perigoso, é trágico. Porém, o que não comentam muito é o quão perceptível e raso é a reprodução do que não é genuinamente vivido, porque não vem de um lugar de sacrifício e entrega.

Acho muito interessante e profunda a maneira como a passagem de Cantares termina. Após descansar debaixo da sombra do amado, comer do seu fruto, e ser convidada para o banquete em sua casa, a noiva exclama que está desfalecendo de amor. Se procurarmos no dicionário, veremos que é o mesmo que estar morrendo de amor. Entretanto, quando pesquisei mais a fundo, descobri que a palavra em hebraico para amor, usada nesse texto especificamente, é *ahabab*, que quer dizer carência. Ela não tem o mesmo significado que as versões gregas de amor, *eros*, *filéo* e *ágape*, que estamos acostumados. *Ahabab*, no contexto de Cantares, confirma uma verdade linda a respeito do amor descrito nesse trecho do livro: a de que todas as nossas carências são supridas no Amado. Ele é o único que pode suprir as carências do coração da Noiva. Ela viu tudo o que poderia ter, mas, entre todas as opções, se dá conta de que a única coisa que supre a fenda que existe dentro dela é o amor do Amado. O *ahabab* que temos dentro de nós tem o espaço perfeito para caber apenas Deus. Nada do que for colocado dentro de nós suprirá aquilo que só Ele pode nos dar.

É por essa razão que muitas pessoas têm tudo o que sempre sonharam, e quando chegam em determinada fase da vida, a maioria no final, descobrem que, na verdade, nunca tiveram nada, porque permaneceram carentes até àquele momento. O motivo de ouvirmos tantas histórias de famosos e milionários que diziam que eram felizes e no final se suicidavam é porque o dinheiro não preenche a carência, as mulheres e homens não preenchem a carência, o sexo não preenche a carência, os amigos, festas e bens materiais também não têm esse poder. A única pessoa que preenche a carência e eco da alma humana é o Amado.

Mais do que nunca, acredito que tem crescido uma sede genuína por Jesus, principalmente, em nosso país. O mundo tem gemido e aguardado pela nossa manifestação como filhos de Deus. Não por uma revelação plástica, mas por algo verdadeiro, que vem através de relacionamento e entrega. Contudo, tenho percebido o quanto tem faltado para nós, cristãos, a coragem de viver o Evangelho de forma radical e assumir riscos. Temos perdido tanto tempo vivendo uma vida morna, indecisa, com medo de pecar ou lutando contra pecados antigos, que nos esquecemos o quão tedioso e miserável pode ser viver assim. Com isso, não quero dizer que não devemos nos empenhar nesses processos de abandono do pecado, pelo contrário, mas a questão é que isso é apenas o começo. Não podemos viver a nossa vida inteira lutando contra as mesmas coisas e sendo o que éramos antes de seguirmos a Deus. Andar com Jesus pressupõe transformações constantes, ou seja, apesar dos nossos erros e falhas ao longo da jornada, se realmente caminhamos com Ele, não existe mais espaço para uma vida de pecado ou um caráter mundano. Precisamos renovar a nossa mentalidade e pararmos de perder tempo com futilidades e coisas que já deveríamos ter deixado para trás. Só assim, engajados nesse processo de santificação e renovação de nossa mente, é que temos a oportunidade de sermos efetivos em nosso propósito aqui na Terra.

    O Evangelho não é para fracos, e sim para pessoas corajosas, que estão dispostas a se gastarem pelo Reino e pelo Rei. Não existe mais tempo para melindres, pecados, caráteres não tratados e indecisões. Supere. Avance. Enquanto dermos desculpas, nunca viveremos a plenitude do que Deus deseja nos entregar. Mas, muitas vezes, acabamos não recebendo da parte de Deus o que de fato deveríamos por não estarmos prontos. A caminhada cristã, certamente, é progressiva, o que quer dizer que não estaremos 100% assim que tomarmos nossa decisão por Jesus. Por outro lado, ela também, com certeza, não é estática, o que significa que estaremos o tempo todo nos tornando à semelhança d'Ele.

Deus nunca exigiu perfeição de nós, mas espera que honremos nossa aliança com Ele. Fidelidade e perseverança são valores extremamente prestigiados e básicos no Reino dos céus. Não tem a ver com o que sentimos ou deixamos de sentir, e sim com compromisso. A aliança feita com Deus é levada a sério por Ele, e não pretende ser uma jornada utópica de felicidades sucessivas, sem espaço para tristezas ou decepções. Isso não existe nem mesmo em contos de fada. Desafios e dificuldades são inerentes à vida, e não deveriam ser motivo de desistência, mas de impulso, porque a cada obstáculo que vencemos, nos tornamos mais aprovados. Muitos pensam que a caminhada com Cristo é a solução para uma vida de problemas, doenças, falta de dinheiro e por aí vai, e, realmente, essas coisas podem ou não ser consertadas ao longo do percurso, mas elas não são o cerne ou a razão. Deus é bom e sempre tem coisas boas para nos dar, mas isso não muda o fato de que Ele está mais preocupado com o nosso coração e caráter do que com o que temos ou achamos que precisamos. A verdade é que andar com Jesus, diversas vezes, será sinônimo de perseguição, sofrimento, dificuldade e desafio, mas nunca de abandono.

> Quando passares pelas águas estarei contigo, e quando pelos rios, eles não te submergirão; quando passares pelo fogo, não te queimarás, nem a chama arderá em ti. (Isaías 43.2)

O versículo 2 de Isaías 43 reforça bastante essa verdade. Ele não afirma "se passares pelas águas", mas "quando passares pelas águas", o que garante que sempre teremos aflições e tribulações neste mundo. Ao mesmo tempo, o versículo continua com a promessa de que Ele estaria conosco por onde quer que andássemos. Ele é fiel e sempre mantém Suas promessas para conosco. Muito da desistência das pessoas em relação a Deus é porque não O conhecem por si mesmas. Ouvem falar sobre histórias bonitas, mas nunca tiveram experiências íntimas com o Criador. Por isso, com a chegada dos problemas, dificuldades e situações complexas, tantas pessoas preferem tentar solucionar tudo sozinhas em vez de depender de Deus e fazerem a sua parte. Mas à medida que experienciamos a Deus, as palavras se tornam verdade, e o que antes era apenas teoria se torna vivo e eficaz. O que falta não é a pregação do Evangelho, mas intimidade. Porque ali, no lugar secreto, crescemos de dentro para fora. A dependência de homens e a necessidade de falar as coisas certas para ter audiência, se vai. O que resta é apenas a aprovação do Amado e a certeza de que Ele é o único que pode suprir as carências do coração humano.

Ter vida com Deus não tem a ver com o que ouvimos, mas com o que experimentamos, e conforme somos expostos a esse amor profundo de Deus, que preenche as nossas carências, nos alimenta e sara, entendemos que não existe nenhum lugar melhor do que este. Só ali recebemos pão diretamente da Fonte para satisfazer os famintos deste mundo. E é nesse lugar que descobrimos o que devemos ou não compartilhar com as pessoas. Afinal, nem tudo o que acontece na intimidade precisamos contar.

CAPÍTULO 6

Conhecer a Deus

Quase tudo na vida é uma questão de escolha. Temos a oportunidade de escolher com quem iremos nos casar, que curso prestaremos na Universidade, se faremos compras na sexta-feira ou no sábado, se pediremos demissão ou não, ou viajaremos para o Nordeste do Brasil, em vez de os Estados Unidos. Até mesmo Deus é uma escolha. Adorá-lO, levantar as nossas mãos no louvor, cantar para Ele e até mesmo glorificá-lO é uma decisão nossa. Contudo, quando nos referimos a Deus, à nossa decisão por Ele ou à opção por adorá-lO ou não, não muda absolutamente nada, porque o Reino de Deus não é legitimado pelos súditos, mas pelo "Eu Sou". Quem legitimou veio antes de mim e de você. Com ou sem o nosso engajamento, Ele continuará sendo Deus, eterno, constante e imutável. A Sua essência não muda de acordo com o tempo, com a reciprocidade ou circunstâncias. Diferente de nós, que condicionamos as nossas escolhas, muitas vezes, ao que sentimos, ao que vemos, ao que achamos ser melhor ou por nossa simples vontade.

Entretanto, apesar de termos o poder de decisão, algumas situações não dependem de nós e, muito menos, são escolhas que fazemos. A morte e as doenças são claros exemplos disso. O desejo de Deus é sempre curar, trazer vida e restaurar, mas, em alguns casos, nem sempre isso acontecerá, e não cabe a nós tentar achar uma solução ou motivo, e sim, unicamente, confiar e entender que Ele sabe o que é melhor. Já ouvi diversas histórias a respeito de pessoas tementes a Deus que não foram curadas. Pessoas que serviam a Ele de todo o coração e, mesmo assim, não deixaram de padecer por sofrimentos, dores, doenças e até mesmo a morte. Por outro lado, já tive contato com inúmeros testemunhos de pessoas que foram curadas instantaneamente em seus corpos físicos, inclusive algumas que, não só foram salvas da morte, como também ressuscitaram. Os planos e pensamentos de Deus sempre serão mais altos, mesmo que, em alguns momentos, não pareçam completos, eles são perfeitos.

Em João 11, a Palavra conta a história de Lázaro, irmão de Marta e Maria, que, após ter sido acometido por uma doença grave, morre pouco tempo depois. Assim que descobriram a seriedade do caso, suas irmãs enviaram um recado a Jesus para que viesse rapidamente a fim de curar o familiar doente. O Mestre, todavia, permaneceu mais dois dias onde estava. Ele não se desesperou com a notícia, apesar de amar aquela família. Sim, a história conta que Lázaro morreu, mas Jesus o ressuscitou. Se Ele não tivesse feito, continuaria sendo bom e com as coisas sob controle, ainda que a família não pudesse mais fazer nada. As Escrituras narram que Marta, ouvindo que Jesus se aproximava da cidade, correu em Sua direção, e disse:

> Senhor, se estivesses aqui meu irmão não teria morrido. Mas sei que, mesmo agora, Deus te dará tudo o que pedires. (João 11.21-22)

Esse versículo sempre me emociona. A Bíblia em nenhum momento esquece de mencionar a reação diante da morte de Lázaro. Tanto que, além das irmãs e dos judeus que as acompanhavam, o capítulo descreve que o próprio Jesus, ao se deparar com a tristeza de todos, também chorou. Mas o que me impressiona nesse trecho é que, apesar da tristeza e do questionamento de Marta em relação à demora de Jesus, ela completa sua fala com a certeza de que independentemente do que havia acontecido, ela sabia que, se Ele pedisse a Deus por seu irmão, qualquer coisa poderia se tornar realidade. Marta, embora estivesse diante de uma das maiores dores que já havia sentido, sabia quem Jesus era e o que Ele podia fazer.

Quando conhecemos a Deus, as circunstâncias não têm poder de afetar quem Ele é para nós. Na verdade, essa lei é uma lei natural da vida. Se você tem um melhor amigo, que ama e passa tempo junto, você conhece essa pessoa e vice-versa. O relacionamento vai sendo construído, amadurecido e provado ao longo do tempo, assim como o conhecimento em relação a esse amigo. Você não precisa perguntar para outras pessoas sobre o que ele gosta, sonha, nem mesmo quem ele é, porque tem acesso direto à fonte. Suponhamos que certo dia uma pessoa mal-intencionada se aproxime para difamar o seu amigo; com certeza, a sua primeira reação não será acreditar naquelas mentiras, porque você sabe quem ele é de verdade. Deus também é assim. Quanto mais conhecemos a Ele e nos empenhamos em descobrir quem Ele é, menos a nossa visão se embaçará diante das adversidades da vida. Vale lembrar, no entanto, que essa jornada é pessoal, por isso não permite coadjuvantes ou intermediários.

O fato de Jesus permitir ser conhecido, tocado e desejar se relacionar conosco sempre me chocou um pouco. O Deus que se encarnou para estar e se reconciliar com pecadores, ingratos e fracos como nós, é, no mínimo, surpreendente, para não dizer louco. Isso é o que amor é capaz de fazer. O Criador de tudo o que existe deseja se tornar o meu amigo; o seu amigo. Ele quer revelar os Seus segredos para aqueles que desejarem. Quer nos ter por perto. Entender o acesso que temos para conhecer a Deus é algo que deveria nos instigar e maravilhar, já que isso também é uma manifestação do Seu amor. Contudo, durante muitos e muitos anos, diversas pessoas se relacionaram com Jesus através do medo, a despeito de Sua pessoa e discurso. O medo só tem espaço quando não há conhecimento; quando não há relacionamento.

O conhecimento de Deus, por sua vez, vem através da Palavra. É evidente que as experiências que vivemos também nos apresentam e confirmam o que lemos na Bíblia, mas seria impossível conhecê-lO se não fosse por meio das Escrituras. Desconfio quando um discurso é cheio demais de achismos e tem pouca Bíblia. Isso não porque a Palavra é apenas o nosso manual de regras, que diz o que podemos ou não fazer, mas, mais do que isso, porque foi o meio pelo qual Deus escolheu para nos revelar a Sua essência, pensamentos, sentimentos e modo de agir. É nisso que a nossa vida deve se basear, e não no que é permitido ou não. Quando entendemos e buscamos conhecer a Deus, tudo o que somos e fazemos gira em torno do fortalecimento desse relacionamento. O nosso problema é que, muitas vezes, por não conhecermos a Deus, atribuímos reações humanas a Ele, e, com isso, limitamos ou até mesmo anulamos o nosso relacionamento com Ele.

Em Lucas 5.12, temos acesso a um acontecimento que retrata bem essa realidade:

> Estando ele numa das cidades, apareceu um homem cheio de lepra que, vendo a Jesus, prostrou-se com o rosto em terra e suplicou--lhe: Senhor, se quiseres, bem podes tornar-me limpo. Jesus, pois, estendendo a mão, tocou-lhe, dizendo: Quero; sê limpo. No mesmo instante desapareceu dele a lepra.

Confesso que já havia lido essa passagem milhares de vezes até me deparar com alguns detalhes que me fizeram encarar a história de maneira completamente nova. Esse é mais um dos motivos pelos quais eu sou apaixonado pela Bíblia. Ela é tão viva que, ainda que a leiamos uma, duas ou vinte vezes, o Espírito Santo sempre nos comunica e faz enxergar coisas diferentes que antes eram ocultas para nós.

A história conta a rápida trajetória de um homem leproso que chega até Jesus e clama por sua cura física. A maneira como a situação acontece sempre me tocou, mas quando estudei o pano de fundo, passei a enxergar essa cena com mais profundidade. O contexto desse relato é dolorido. O que havia ali não era apenas uma dor física decorrente da doença, mas uma dor social. A lepra não tinha cura naquela época e era uma doença altamente contagiosa, obrigando os enfermos a perderem todo o contato com quaisquer pessoas sãs. Os leprosos não podiam ser tocados por ninguém, não podiam ser abraçados ou receber manifestações físicas de carinho e amor. O atestado de lepra era o homicídio de sua vida em todos os sentidos. O doente, além de não poder tocar em mais nada, deveria ser retirado da cidade imediatamente para não contaminar o resto da população. Eu costumo dizer que: "Pior do que saber que vai morrer é saber a causa e quando". E como essa frase se torna verdadeira nesse contexto, porque ali existia a expectativa em detrimento do fim, uma vez que eles sabiam do que estavam morrendo e qual seria a média de tempo que suportariam.

Além do abandono e desprezo social, a lepra era uma doença que causava úlceras. Estas, por sua vez, devido à falta de higiene e do pouco conhecimento da medicina da época, poderiam infeccionar, fazendo com que o corpo do paciente apodrecesse e, consequentemente, cheirasse mal. Hoje, apesar de a cura da lepra ser uma realidade, ainda é possível morrer desse mal. Na verdade, qualquer coisa que não é tratada leva à morte. Uma gripe mal tratada leva à morte. Uma dor de dente mal tratada pode levar à morte. Tudo o que não é tratado pode matar você. Exemplo disso é o Novembro Azul e o Outubro Rosa, campanhas de conscientização e prevenção do câncer de próstata e mama, respectivamente. Por causa das iniciativas, o número de pessoas com essas doenças baixou drasticamente, já que aquilo que não se sabia antes foi trazido à tona. Tudo aquilo que fica escondido e não é trazido à público pode te matar.

Aquele leproso entendia isso, pois, à sua maneira, chega diante do Mestre e diz: "Senhor, se quiseres, eu serei limpo". Em nenhum momento, ele disse que era leproso, mas, de alguma forma, expõe sua deficiência. É interessante perceber que existia um medo subjetivo naquela fala. Talvez ele tivesse medo que as pessoas lhe expulsassem dali, já que ele não podia estar no meio da multidão e perto do Amado. A sociedade também o excluía desse encontro. Ele não podia fazer o que estava fazendo no meio da multidão, mas havia entendido que se aquele era, de fato, o Cristo, ele estava revelando a sua doença ao único que poderia mudar a situação dele. Só Jesus podia mudar a sentença que o havia condenado.

A Palavra também nos conta a respeito de outro leproso, diferente do que se apresentou a Jesus:

> Ora, Naamã, chefe do exército do rei da Síria, era um grande homem diante do seu senhor, e de muito respeito, porque por ele o Senhor dera livramento aos sírios; era homem valente, porém leproso.
> (2 Reis 5.1)

Naamã, chefe do exército do rei da Síria, era um homem de linhagem nobre, extremamente respeitado e admirado. Ele tinha credibilidade, status, dinheiro, moral, a confiança do rei, e era corajoso. A Bíblia diz que ele era grande perante o seu senhor, e que, por meio dele, os sírios haviam recebido um livramento, ou seja, Deus já usara aquele homem. Mas a Bíblia apresenta um "porém". O "porém" é uma palavra que invalida tudo o que veio antes, quase anulando o sentido da frase anterior. "Porém, leproso", ela diz. Não adiantava nada conquistar tudo aquilo, mas ser leproso. Ele tinha história, respeito, credibilidade, testemunho, coragem, porém era leproso. O "porém" tira o brilho do resto. E a verdade é que talvez a nossa maior dificuldade hoje seja os nossos "poréns" perante Jesus. Canta bem, porém não lê a Bíblia. Prega bem, porém não ora. Pastoreia, porém não é fiel. Usa a camiseta "+ intimidade", porém nunca teve um momento a sós com Cristo. Fez trinta anos de teologia, porém nunca falou do Autor da obra. Esses são poréns! O problema é que muitos têm aprendido a conviver com eles, em vez de apresentá-los a Deus, porque não alcançaram um nível de intimidade com Jesus para saber a forma como Ele reage. Dessa forma, aprendem a esconder as coisas por medo ou por se acharem impuras, quando deveriam apresentá-las ao único que pode lhes curar.

Há algum tempo, recebi a notícia de que uma pessoa conhecida, que servia ao Senhor, foi flagrada no envolvimento com drogas. Fiquei tão devastado com o acontecido que chorei. As plataformas, a fama, os reconhecimentos, os aplausos e o dinheiro não adiantam se houver um porém em nossa vida. Mas, se a intimidade existir, o porém é destruído, porque há chance para cura. Enquanto houver intimidade, haverá possibilidade de restauração.

Naamã era tudo, porém leproso. E, ao contrário do outro, ele preferiu esconder a doença. Ele continuava sendo, agindo e falando como se nada tivesse acontecendo, mas quem andava com ele pagou um alto preço porque a lepra era considerada uma doença contagiosa. Quando você está doente e anda com todos como se estivesse bem, você corre o risco de contaminar e deixar todos ao seu redor doentes. A Bíblia não menciona, mas eu imagino que muitas pessoas que trabalhavam para Naamã ficaram doentes também e, talvez, nem soubessem o motivo, uma vez que o general se escondia debaixo de sua armadura. Por isso, há tantos leprosos que não sabem o porquê estão assim. Falta de discernimento espiritual; de intimidade.

Quem tem intimidade com Deus reconhece quem está doente e não fica perto para se contaminar, porque sabe que se partilhar com pessoas assim também vai adoecer. Quando me refiro a isso, não quero dizer que não devemos ter amizades com pessoas que não sejam cristãs, e sim que não devemos adotar um estilo de vida e práticas como as delas. Mas, em relação a isso, vale lembrar também que "as más companhias corrompem os bons costumes". Muitas pessoas optam por atitudes que, além de tóxicas, vão contra valores, ética e moral, tornando difícil o convívio numa relação saudável. Por isso é tão importante saber os limites que podemos chegar com cada pessoa. Eu mesmo tenho amigos que não partilham do meu amor por Cristo, mas isso não me impede de estar e aproveitar a amizade deles. Em contrapartida, é bem verdade também que nenhuma dessas pessoas é um amigo inseparável, porque o foco, a mentalidade e o propósito são completamente diferentes dos meus. Eu não tenho medo de ser contaminado por eles, porque eu sei que maior é Quem está em mim e o que eu carrego não tem perigo de ser contaminado. Entretanto, ainda que me pegue, vez ou outra, com um pensamento ou atitude errada, sei que se estiver em intimidade com Jesus, ao primeiro sintoma, eu posso correr aos pés da cruz, em vez de me esconder.

Sou pastor de jovens e há algum tempo viajo pelo Brasil inteiro para pregar. Às vezes, eu fico 25 dias fora de casa, mas, mesmo assim, a minha esposa não fica longe de mim. Nós temos um acordo: eu não fico dois dias longe dela. Resolvemos fazer esse trato, porque entendi que a doença nunca começa grande, ela começa pequena. Adultério não começa no quarto de motel, começa com o olhar maldoso. A contaminação vem de pouquinho em pouquinho, alimentada por pequenas doses que, lentamente, vão nos enfeitiçando. Algumas outras doenças também são assintomáticas, ou seja, você está doente, mas não sabe; o que é extremamente perigoso e pode ser mortal. É por isso que somos a geração do suicídio, porque começou pequeno e virou morte. Ninguém conta. No começo do ano, eu recebi uma mensagem dizendo que três meninos haviam se suicidado em São Paulo. Aquilo mexeu demais comigo. Porque eram três jovens, que tinham o futuro inteiro pela frente, porém estavam doentes.

O que precisamos fazer para reverter quadros assim é não nos escondermos da Presença, e também procurarmos ajuda de pessoas experientes e sábias. A vida não é uma jornada que foi feita para ser trilhada em carreira solo. Precisamos de pessoas ao nosso lado, e pessoas que tenham visão, sejam fortes e sábias. Além disso, é essencial entendermos a necessidade de sermos lavados diariamente pelo sangue de Jesus e por Sua Palavra. Somente através da intimidade com Deus podemos ser transformados, curados e tratados dos nossos poréns. É claro que admitir esses poréns, certamente, não é fácil, afinal ninguém gosta de contar que está doente. O porém incomoda. Talvez seja a coisa que mais incomoda os crentes, mas o erro está em pensarmos que esconder deixará tudo em paz. "Se ninguém descobrir, estará tudo bem", mas não é assim.

Com autoridade, eu quero dizer a você: Não esconda aquilo que pode levá-lo à morte. Você tem enfrentado vício de pornografia? Não esconda, procure tratamento. Está com problemas no casamento? Não esconda, vá atrás de ajuda. Depressão? Trauma? Medo? Síndrome do pânico? Pare de esconder! Você não precisa ter medo! Não precisa ter medo do Amado! A intimidade com Ele vai fazê-lo enxergar que não precisa ter medo de alguém que sempre esteve esperando ansiosamente para cuidar, resolver, curar e amar você. Olhe para Ele, olhe nos Seus olhos! Pare de pensar sobre o que os outros vão dizer de você! Mais importante do que reputação é caráter. E reputação, ao contrário do que muitos pensam, não é caráter. Se você está com algum problema, peça socorro, não se esconda, porque a sua falsa reputação pode acabar te matando, literalmente. O que o céu pensa a seu respeito? Essa é a única coisa que precisa importar.

Temos uma tendência estúpida de nos afastarmos de Deus quando achamos em nós algum porém. É claro que aqui não me refiro a pessoas que desejam viver uma vida dupla: com um pé na igreja e outro no mundo. Entretanto, muitos têm o desejo de mudar, só que pensam estar sujos demais para se aproximarem de Deus. Acusados por sua consciência, acreditam que nunca serão dignos de chegar aos pés da cruz e serem curados de sua doença. Assim, nesse processo, são atacados por pensamentos depreciativos como: "Você é um lixo, não merece servir a Jesus", "Você sempre foi uma ovelha negra mesmo, não merece estar na igreja", "Você é tão promíscuo, não tem o direito de ser amado por Deus!", "Você nunca vai mudar!", "Você nunca vai pertencer!". É isso o que o Diabo quer que você acredite. Mas isso é mentira. E se perguntar a Ele, saberá que Ele nunca pensou tais coisas de você. Jamais subestime o poder do amor de Deus e do arrependimento. Essa combinação é capaz de transformar até o pior dos homens. Paulo, o apóstolo, não poderia ser um exemplo melhor disso. Um dos maiores assassinos de cristãos que já viveu, transformou-se em um dos maiores apóstolos do Evangelho de Cristo. Ninguém o convenceu. Bastou apenas um encontro com Jesus e tudo mudou.

É tempo de abandonarmos nossas pendências. Não podemos deixar a nossa geração se perder por causa de pequenos poréns escondidos. Você não vai se desviar por conta do porém. Você não vai morrer por conta do porém, porque Quem pode curar a sua alma está disponível e ansioso para encontrar-se com você hoje. Quem pode restabelecer a sua integridade espera o seu sim. Não há motivos para se esconder. Nós precisamos de cura. Todos nós precisamos. Ninguém é são o bastante para não precisar dos cuidados de Jesus.

O leproso do Novo Testamento é fantástico por causa disso. Aquele homem, mais do que qualquer outra pessoa, tinha razões para esconder a sua lepra. Ele não podia estar no meio da multidão, mas estava lá. Não podia chegar perto de ninguém, mas ele chega, e chega perto da Pessoa certa. A Bíblia diz que ele, ao se aproximar de Jesus, se prostra e olha para Ele, dizendo: "Senhor, se quiseres, eu serei limpo". Aqui, o homem se encontrava em um limbo temporal, talvez com algumas questões em mente. Por causa da cultura impregnada, que ditava o isolamento de doentes contagiosos, ele não era somente enfermo, mas imundo perante o povo. Imagino que em sua cabeça, com o Mestre diante dele, talvez o leproso enxergasse Jesus pela ótica dos fariseus: intocável, belo, inacessível, de linhagem, rico. Era assim que a cultura dizia que o Messias seria, mas talvez aquele homem, olhando para Ele, não reconhecesse esses atributos, o que poderia levantar a suspeita de que, talvez, Jesus não fosse quem ele achava. Penso que, por isso, possivelmente, aquele homem também tenha se aproximado de Jesus e preferido não dizer com todas as letras que era leproso. Ele só disse: "Se quiseres, eu serei limpo". É como se presumisse que se Cristo fosse, de fato, o Messias, saberia o que ele tinha. Na verdade, acho que essa era a única alternativa que teria sucesso, porque, se Jesus não fosse o Messias, aquele homem poderia ser escorraçado por Ele e pela multidão. Ainda assim, o leproso, independentemente dos poréns, arriscou tudo, enfrentando, inclusive, o medo, para se aproximar d'Aquele que poderia curá-lo.

 Por outro lado, muitas vezes, não estamos afastados da igreja, da atmosfera espiritual ou da comunhão com cristãos, mas, mesmo assim, fugimos e nos escondemos da presença de Deus. Para alguns, a falta de relacionamento com Jesus e o medo são tamanhos que, mesmo dentro da igreja, preferem viver debaixo do peso da Lei do que se aproximarem d'Aaquele que pode lhes fazer livres. E mais uma vez percebemos que conhecer Jesus e ter um relacionamento com Ele pode mudar completamente a nossa maneira de encarar o mundo, nós mesmos e as pessoas. Foi isso o que aconteceu com a mulher do fluxo de sangue. O Novo Testamento narra o rápido encontro que aquela mulher teve com Jesus, e como esse episódio, descrito em poucas linhas na Bíblia, transformou sua vida de maneira integral. Há 12 anos, a mulher de Lucas 8 lutava contra uma hemorragia constante que a fizera gastar todas as suas economias com médicos e remédios. Ainda assim, a cura nunca havia chegado. A Palavra conta que o cenário em que aquele evento aconteceu era comum, já que Jesus sempre estava rodeado de pessoas enquanto pregava e curava, o que tornava frequente os toques e empurrões que vinham da multidão. Por onde o Mestre andava, as pessoas apertavam e tocavam n'Ele como um ato de fé. Se a Bíblia diz que até mesmo a sombra dos discípulos curava, imagine os que tocavam no Filho de Deus. Mas é interessante quando lemos a história da mulher do fluxo de sangue, porque, se formos reparar, não havia acontecido nada de anormal ali. Haviam tantas pessoas ao redor, encostando, esmagando, tocando e querendo chamar a atenção de Jesus que, para ela, talvez existisse uma chance de conseguir passar despercebida. Ela não queria ser notada por ninguém, muito menos por Jesus.

Naquela época, a lei condenava doenças como a daquela mulher. Perante a sociedade, assim como os leprosos, as pessoas acometidas com hemorragias daquela magnitude se tornavam impuras. Elas não podiam tocar em ninguém, relacionar-se com ninguém, e nada do que encostassem podia ter contato com o resto da população. Nem mesmo comidas preparadas por elas poderiam ser consumidas por outras pessoas. A lei excluía enfermos como ela e os colocava distante de tudo e todos. Por isso, quando chegou diante de Jesus, a mulher sabia que Ele tinha poder para curá-la, mas também o enxergava pela ótica dos fariseus: um Deus inacessível. O relacionamento com alguém como Ele nem passava pela cabeça dela. Tudo o que ela queria era ser invisível. E muitos são assim hoje: querem se relacionar com Deus, mas não querem ser percebidos por Ele. Em razão disso, relacionam-

-se atrás de colunas e bancos de igreja, atrás de religiosidade e medo, e não sabem que melhor do que olhar para Deus através de algo, é olhar diretamente em Seus olhos.

O capítulo continua, e a mulher, avistando o Mestre de longe, sabia uma coisa: "Se eu apenas tocar a sua roupa, serei curada". Essa era a única coisa que ela sabia sobre Jesus. Há pessoas que se limitam a "conhecer" Jesus por aquilo que sabem ou já ouviram falar. Ele é o Salvador, filho de Deus, amigo, fiel e bom, mas não porque tiveram uma experiência ou revelação através da Palavra, e sim porque aprenderam de tabela pela vivência de outros. Quem é Jesus para você? O Redentor? Há um Cristo Redentor no Rio de Janeiro também e todo mundo sabe disso. Mas saber não muda nada. Saber e conhecer são duas coisas completamente distintas. Eu não sou músico, mas quando vejo um piano eu sei que aquele instrumento é um piano. Entretanto, o músico não apenas sabe, mas conhece o funcionamento desse instrumento. O nível de envolvimento é diferente. Eu, mesmo sem saber tocar, posso conseguir tirar um acorde acidentalmente, mas quem toca sabe a música inteira. A mulher sabia quem Jesus era. Ele podia curá-la, mas, em seu entendimento, era inacessível. Então, ela, escondida, aproxima-se e rapidamente toca na orla do manto de Jesus, sendo curada instantaneamente. Tentando sair de fininho para que ninguém percebesse, ela é surpreendida em sua retaguarda pela pergunta de Jesus: "Quem me tocou?". Todos ao redor estranharam a pergunta, porque era óbvio que a maioria dos presentes estava tocando ou tentando tocar o Mestre. Mas Ele insistiu. Alguém o havia tocado de forma diferente.

Por causa da lei que a tornava impura, aquela mulher tinha consciência de que não poderia tocar no Mestre, já que aquilo, segundo o seu parâmetro fariseu, poderia torná-lO impuro. Ela conhecia a lei, prova disso é que ela não toca em Jesus, mas na orla de Seu manto. A Bíblia diz que:

> Então, vendo a mulher que não podia ocultar-se, aproximou-se tremendo e, prostrando-se ante ele, declarou-lhe diante de todo o povo a causa por que lhe havia tocado e como logo sarara. E ele lhe disse: Tem bom ânimo, filha, a tua fé te salvou; vai em paz. (Lucas 8.47)

Sem esperar por aquela reação de Jesus, imagino as milhões de coisas que devem ter passado na mente da mulher do fluxo de sangue naquele momento. "Será que Ele se tornou impuro com o meu toque em Suas vestes?", "Será que eu destruí a caminhada d'Ele?". "Eu O manchei! Ele precisará passar pelo ritual de purificação de Levíticos!", "Ele mandará me apedrejar! Eu não podia ter chegado perto d'Ele! E, ainda por cima, eu encostei em mais pessoas para chegar até Ele…".

Mas como Jesus sabia que era ela que O havia tocado? Deviam ter mais pessoas impuras que haviam encostado n'Ele também. Foi, então, que o Espírito Santo falou comigo sobre essa passagem enquanto lia certa vez. "O peso da culpa traz condenação, o convencimento do Espírito Santo não". Quando o Espírito de Deus convence não há peso, mas quando o peso da culpa entra em cena, a pessoa se sente julgada por qualquer palavra. Aquela mulher não sabia se a pergunta do Mestre tinha sido direcionada para ela, mas aquilo pesa sobre seus ombros e ela não sabe o que fazer com aquele peso. As Escrituras dizem que, assim que percebe que não teria como se esconder, a mulher, tremendo, prostra-se diante de Jesus e conta como havia sido curada após ter tocado Suas vestes. Esse momento sempre me causou estranheza, porque uma pessoa curada não treme de medo nem tenta esconder a sua cura, muito menos d'Aquele que havia proporcionado tudo aquilo. Ela deveria festejar, alegrar-se e fazer um alvoroço, afinal tinha recebido o que esperava há mais de 12 anos. Portanto, a conclusão que podemos chegar é que, mesmo curada, aquela mulher ainda estava doente; doente em sua alma. Ela apresentou uma enfermidade, mas tinha outra que nem ela mesma conhecia. Há certas doenças em nós que apenas o Espírito Santo é capaz de nos mostrar e curar.

Ao final, tremendo diante d'Aaquele que havia lhe curado de sua hemorragia, ela se vê obrigada a revelar a razão de estar ali e o que havia acontecido, e, mais do que nunca, ela sente medo do que Jesus e todos ao redor poderiam pensar e fazer se soubessem da verdade. Entretanto, diferente do Messias que ela sabia a respeito, Jesus libera a cura para a sua alma ferida também:

> Então ele lhe disse: "Filha, a sua fé a curou! Vá em paz". (Lucas 8.48)

Eu acredito que, assim que Jesus proferiu a palavra "filha", algo mudou dentro daquela mulher. Filha? Como isso seria possível? Ela era filha de Deus? O Deus encarnado havia mesmo lhe chamado de filha? O próprio Messias a via daquele jeito? Então, eu consigo imaginar a revolução que se inicia dentro do coração dela, e como até mesmo o seu olhar começava a se transformar. Mas, o que o Mestre termina dizendo é o que a cura completamente: "Vá em paz". Há muitas pessoas saradas de doenças físicas, mas que continuam doentes na alma. A paz de Jesus é o que tem poder para nos curar verdadeiramente.

Dessa forma, aquela mulher chega até Jesus e é, primeiramente, curada em seu físico para depois receber a cura em sua alma. Ele sempre traz a cura completa. Cristo é o único que se associa comigo e com você. Ele nos encara nos olhos e nos dá mais do que somos capazes de pedir. Ele não se limita ao nosso desejo, mas vê a nossa necessidade e vai ao seu encontro.

Jesus sempre escolheu caminhar com os menos prováveis. Com aqueles que não eram. Não eram bons, não eram aceitos, não eram capazes, não eram valentes, não eram letrados, não eram sãos e nem dignos. O curioso é que muitos destes que tiveram encontros com Jesus, e se relacionaram com Ele, durante e depois de sua jornada na Terra, se tornaram aqueles que viraram o mundo de pernas para o ar. Homens e mulheres que, como o autor de Hebreus descreveu, o mundo não era digno. Pessoas imperfeitas, assim como eu e você, mas que escolheram entregar os seus poréns e viver com Cristo e por Ele. O problema é que, muitas vezes, a nossa religiosidade, cegueira e presunção nos faz pensar que pelo fato de frequentarmos a igreja há anos, sabermos como nos comportar, o que e quando fazer no ambiente eclesiástico, isso nos coloca em um patamar superior aos outros ou é sinônimo de proximidade e relacionamento com Deus, o que, definitivamente, não é verdade.

Algo interessante a respeito da intimidade é que ela não pode ser contabilizada pelo tempo. Uma pessoa pode ter muitos anos de igreja e não ter nenhuma intimidade com Deus. Assim como um recém-convertido pode ter muita intimidade mesmo tendo conhecido Cristo há pouco tempo. Tudo depende da quantidade de entrega e busca envolvida. O triste é que muitas pessoas, especialmente as que têm anos de conversão, não aceitam a vida de intimidade de pessoas que até pouco tempo viviam no lixo. Não estamos preparados para ver quem acabou de entrar na igreja ser batizado no Espírito Santo. Ou ver alguém sendo tocado, salvo, batizado e ver a mesma pessoa, tempos mais tarde, pregando no púlpito.

Certa vez, eu estava ministrando em uma igreja e fiz um apelo para os que gostariam de aceitar a Jesus, como eu tenho o costume de fazer ao final das minhas pregações. Foi quando um homem saiu do fundo da igreja, andou pelo corredor até chegar ao lado de minha esposa na primeira fileira, e disse: "Aí ó, não é possível! Aceitando a Jesus e tá devendo dinheiro!". As pessoas não acreditam na regeneração dos outros. Mas Deus sim. Ele reage a mim e a você de maneira diferente dos seres humanos, de um jeito que não conseguimos explicar. Algo totalmente incompatível com o nosso merecimento. Porque Ele se importa com aquilo que os olhos não podem ver e não com o que é aparente: o coração. O homem tem a mania de julgar os outros baseado em seu bom faro e palpite. O que, realmente, não impede de estarmos certos algumas vezes. O problema é que, apesar de o nosso julgamento estar correto de vez em quando, isso não muda o fato de que nunca conseguiremos ver além do que queremos ou do que nos é permitido. Isso vale até mesmo para alguém que conhecemos profundamente. Nem se fizéssemos todo o esforço do mundo conseguiríamos decifrar o seu coração. Apenas Deus sabe tudo o que se passa dentro de nós e quem somos verdadeiramente. Nem mesmo nós sabemos quem somos de verdade. O que pensamos ser, muitas vezes, não é real, e é por esse motivo que muitos são orgulhosos ou presos à falsa humildade. Pensando de mais ou de menos sobre si mesmos.

Uma passagem que sempre me vem à mente quando penso nisso é a de 1 Samuel 16, quando Davi é ungido rei:

> Porém o Senhor disse a Samuel: Não atentes para a sua aparência, nem para a grandeza da sua estatura, porque o tenho rejeitado; porque o Senhor não vê como vê o homem, pois o homem vê o que está diante dos olhos, porém o Senhor olha para o coração. (1 Samuel 16.7)

A história conta que o profeta Samuel, obedecendo a Deus, é enviado até a casa de um homem chamado Jessé para lhe revelar que sucessor do trono de Israel seria um de seus filhos, já que Deus havia rejeitado a Saul como rei. O profeta, homem separado e íntimo de Deus, ao se ver diante de cada um dos irmãos de Davi, convence-se de que algum deles assumiria o posto. Eles eram fortes, bonitos e altos. "Com certeza seriam bons reis", Samuel pensou. Mas, após uma rápida entrevista um a um, sempre que perguntava ao Senhor se algum deles era o escolhido, recebia uma negativa. Davi, o caçula da família, pastor de ovelhas, de baixa estatura e desprezado pelos familiares foi o nomeado por Deus. A opção menos óbvia; a que menos fazia sentido para os homens. Entretanto, os homens não vêem como Deus vê. Até mesmo homens de Deus, como o profeta Samuel, erram por escolherem se apoiar em seus palpites e impressões.

Não cabe a nós julgar. Se nem mesmo nós somos julgados por Ele, por que achamos que temos esse direito? Para nós é chocante pensar que uma prostituta ou um bandido, que matou crianças, homens e mulheres, possam receber perdão se se arrependerem. É chocante pensar que até mesmo se um estuprador se arrepender, ele tem chance de entrar para a família. É chocante pensar que um menino que abandonou a presença de Deus mesmo debaixo de tantas promessas, propósitos e chamado, e se lançou na vida, voltando para Jesus apenas com 19 anos, possa merecer uma segunda chance. Mas Ele é assim. E que bom, porque esse mesmo garoto de 19 anos, hoje, tem a oportunidade de estar escrevendo este livro, só para garantir a você que não existe vida plena longe desse Amor.

Somente Deus, e não a nossa boa oratória, é capaz de mudar as pessoas. Esse não é o nosso papel. Não cabe a nós tentar mudar ninguém, inclusive Ele nunca nos pediu isso. Ele, e apenas Ele, é quem transforma corações e faz o que ninguém poderia sequer acreditar ou imaginar. Ele é quem muda histórias, destinos e propósitos. E é por isso que, quando nos referimos ao nosso relacionamento com Deus, só uma transformação gerada por Ele pode se sustentar. Quando alguém tenta mudar por esforço ou obrigação, e não porque teve uma renovação em sua mente, as chances daquele posicionamento permanecer são mínimas, porque foi fruto do momento, da emoção, e não de uma revelação. O nosso papel é estender graça, compaixão e amor a todos, como Ele, continuamente, faz conosco. Precisamos aprender a olhar com os olhos de Jesus para as pessoas; e também aprender a olhar em Seus olhos, porque é através deles que descobrimos quem somos. Enquanto mantivermos nossos olhos fixos n'Ele e o nosso coração aberto a nos relacionarmos com Ele, sempre haverá um futuro brilhante nos esperando. Ainda que venham obstáculos, adversidades e problemas, temos um futuro à nossa espera, e o melhor não é o que encontraremos lá, mas Quem estará lá nos aguardando.

Hoje em dia é difícil encontrar pessoas que olhem nos olhos. Sei disso, porque sempre reparo enquanto converso com alguém. Geralmente, estamos tão ocupados com outras coisas que conversamos sem nem mesmo olhar para o rosto das pessoas. Passei a dar ainda mais valor quando, conversando com uma médica tempos atrás, ela me contou que estudos comprovaram que a biometria da íris, músculo responsável pela coloração dos olhos, é uma das formas mais eficazes e precisas de identificação que existe, porque ela é única. A impressão digital e a leitura facial ocupam o segundo e terceiro lugar. Aquilo fez ainda mais sentido ao pensar que, quando Jesus olha para nós, em nossos olhos, Ele não só nos reconhece pela aparência, mas enxerga a nossa identidade e coração, ainda que não falemos nada. A verdade é que mesmo que tentemos nos esconder, Ele nos conhece. Nada fica oculto para Ele. Todavia, uma das coisas que aprendi pastoreando jovens é que nem sempre não olhamos nos olhos porque somos maleducados ou estamos ocupados demais, e sim porque estamos escondendo alguma coisa. É triste, mas a verdade é que muitas pessoas não olham nos olhos porque vivem sufocadas por culpa, vergonha, peso, opressão e medo. Então, choram no culto, participam dos apelos e a nossa reação é enxergar apenas o externo, julgando o quebrantamento daquelas almas, quando, na verdade, elas estão mergulhadas em vergonha.

Pode ser que, constantemente, façamos um convite para alguém ir à igreja conosco, mas a pessoa nunca aceita. Quem sabe é um porém? Pode ser que você conheça alguém que vá para a igreja em todos os cultos, mas a vida da pessoa não vai para frente. Quem sabe é o porém? Mas é o porém que precisamos apresentar para recebermos tratamento e não sermos destruídos. Talvez, assim como eu, apresentaram a você um Jesus opressor, que só se importa com o castigo e reverência de Seus súditos. Mas quando nos atentamos para a Palavra, o Messias que vemos é outro.

Acho que a parte mais linda da história do leproso do Novo Testamento é quando a Bíblia diz que Jesus estava à distância de um toque daquele homem e, ao encostar nele, ele é curado. O Mestre não precisava ter encostado no homem para que ele fosse curado. Naquele momento, Jesus não estava curando a lepra, mas as emoções que a lepra havia ferido. Jesus é o único que se importa conosco por inteiro. Ele faz a obra completa, não apenas o que contamos. Obviamente, a preocupação maior daquele leproso não era com as suas emoções, por mais dilacerado que ele pudesse estar em sua alma, o que ele almejava mesmo era a sua cura física. Pelo que sabemos, era provável que há muito tempo aquele homem não era tocado, e se a sua linguagem de amor fosse toque físico, ele não se sentia amado por alguém há um bom tempo. Entretanto, Jesus, conhecendo o seu coração e estado, despede aquele homem com uma cura completa, assim como fez com a mulher do fluxo de sangue.

Eu amo uma canção antiga que diz:

Tocou-me, Jesus, tocou-me
De paz Ele encheu meu coração
Quando o Senhor Jesus me tocou
Livrou-me da escuridão

É claro que o hino não fala nada sobre lepra, mas ele se encaixa perfeitamente nessa passagem, porque, naquele instante, Jesus não curou apenas a enfermidade daquele homem, mas também o levou para a luz e encheu o seu coração. Talvez seja um pouco difícil de nos colocarmos no lugar de alguém que tenha uma doença como essa, contudo, imagino a reação, felicidade e euforia daquele homem após ter recebido uma cura como aquela. Jesus sempre faz além do que pedimos.

Muitas vezes, quando olhamos para Cristo, pensamos que Ele pode se surpreender quando Lhe dissermos alguma coisa. Pensamos que a nossa lepra O surpreenderá ou O contaminará. Contudo, nos esquecemos de que Jesus nunca morreu de lepra. Ele morreu de amor. Ele morreu de amor por mim e por você. Ele tocou nos leprosos e não ficou doente, e é O único que pode tocar e interagir conosco para nos sarar e nos limpar da contaminação.

Não precisa ter medo. Chegue perto. Toque. Olhe nos olhos. Intimidade é isso. Em nosso corpo, situada no meio do peito e bem em frente ao coração, temos uma glândula chamada timo. Certa vez, ouvi que uma das derivações da palavra intimidade tem origem da palavra timo, o que significa que intimidade é quando o nosso timo encosta no timo de alguém. É por isso que o abraço é uma das formas mais afetivas de demonstrar vínculo e, consequentemente, intimidade. Esse é o tipo de contato que Deus quer ter conosco. Perto. Perto demais. Deixe Ele encostar em você. Abandone o porém, pare de se esconder, entregue-se a Ele e seja curado. Ele está à sua espera.

CAPÍTULO 7

Memórias que Doem

Recentemente, eu e minha esposa nos tornamos pais. É inexplicável a sensação de segurar o seu filho nos braços. Cada dia que passo com ele, descubro uma nova forma de amá-lo e entendo melhor o amor de Deus por nós, Seus filhos. É engraçado, porque eu e minha esposa ficamos tão empolgados com o João, nosso filho, que tiramos foto e fazemos vídeos de absolutamente tudo o que ele faz. Até o espirro dele é comemorado em casa. Tudo o que acontece é uma grande novidade e por isso, constantemente, estamos registrando as coisas que acontecem com ele. Foi quando, meses atrás, apareceu uma notificação no meu celular: armazenamento cheio. Isso significava que o espaço tinha acabado e que para eu continuar com as coisas novas, precisaria tirar as velhas. Então, abri o álbum de fotos do meu celular e comecei a procurar aquilo que, para mim, tinha perdido a relevância e não tinha o porquê de estar ali.

Após passar algum tempo vasculhando, eu encontrei algumas fotos do acidente que havia sofrido em maio de 2016.

Naquele instante, eu me lembrei do que tinha acontecido, mas sem pensar muito já me adiantei para deletá-las, afinal, aquilo não parecia ser importante para mim. Porém, antes de decidir apagar definitivamente, refleti por alguns segundos, e aquilo que a princípio não tinha relevância, de repente, se tornou muito significativo; o que, por outro lado, era extremamente esquisito, porque passar por aquele processo havia doído e não era confortável de lembrar. Certamente, se eu pudesse escolher, jamais passaria por um acidente de carro com capotamentos graves como aconteceu, mas eu passei, e agora isso faz parte de quem eu sou, faz parte da minha história, e, por mais estranho que possa soar, me traz esperança. Naquele dia, eu enxergava um acidente, hoje eu percebo o livramento da parte do Senhor e vejo quão maravilhoso o nosso Deus é.

    O acidente que vivi me fez entender que tudo aquilo que dói nos faz crescer e se torna parte do nosso processo, e, por esse motivo, é importante para nós. Isso começou a me fazer refletir que não existe ninguém no planeta Terra que não deletaria pelo menos um dia de sua vida, se pudesse. Todos temos um dia que gostaríamos de deletar da história. Traumas que nos rasgaram por dentro, choros que pareciam que não teriam fim, situações que mancharam a nossa trajetória, que trouxeram desesperança, vergonha, medo e todos os outros tipos de sentimentos ruins que alguém poderia sentir. Se pudéssemos orar para que Deus apagasse essas coisas e isso, de fato, acontecesse, sem sombra de dúvidas, nós faríamos. Mas isso não é possível. Entretanto, acredito que toda dor tem um papel crucial em nosso processo. Sem ela, talvez nunca aprenderíamos certas lições na vida, e apesar de Deus nunca provocar dor em nós, Ele sempre decide usá-la para nos tratar. Afinal, para os que estão em Cristo, não existe circunstância alguma que não coopere para o bem. Mesmo as piores coisas que sofremos na vida são transformadas e podem ter finais incríveis, porque Deus não desperdiça nada. Tudo o que vivemos pode ser aproveitado por Ele. Não há história alguma no mundo, por pior que seja, que Ele não tenha o poder para transformar e sarar. O que precisamos fazer é apenas dar espaço para que Ele nos toque e mude o rumo da nossa vida.

Por outro lado, algumas memórias traumáticas, apesar de doerem, são essenciais que desenvolvamos, porque constroem o que chamamos de memórias de aviso.

Eu me lembro de quando eu era menino e as minhas memórias de aviso estavam sendo formadas. Certa vez eu estava perto de uma moto com o escapamento quente, e meu pai disse: "Filho, não chegue perto, porque senão você vai queimar a perna". Não sei porquê essas coisas acontecem quando somos criança, mas, ao ouvir aquelas palavras, parece que fui atraído a fazer exatamente o oposto do que meu pai tinha orientado. Tudo foi bem rápido e, quando me dei conta, já estava brincando ao lado da moto até que encostei a perna no cano de escapamento. Instantaneamente a minha perna se queimou e, enquanto me contorcia de dor, escutei a voz do meu pai dizendo: "Eu te disse que estava quente!". Aquilo, por muito tempo, me impediu de chegar perto de motos, porque a minha memória me lembrava: "Isso dói; machuca". Por isso, algumas memórias, mesmo que traumáticas, não podem ser apagadas, porque elas nos livram, impedindo de nos esquecermos daquilo que não pode ser esquecido.

O nosso cérebro tem uma capacidade de armazenamento de aproximadamente um milhão de *gigabytes*. Isso quer dizer que nós viveremos a vida inteira e não seremos capazes de ocupar o espaço inteiro que o nosso cérebro nos oferece. Mas, por mais que guardemos tudo, isso não quer dizer que conseguimos acessar completamente essas memórias. Exemplo disso são as nossas recordações e vivências de quando éramos bebês. Muito do que nos tornamos quando crescemos começa a ser forjado na primeira infância, entretanto, muito que aconteceu conosco naquela época não conseguimos nos lembrar. Da mesma forma, com certeza, assim como eu, você já se encontrou em uma situação em que estava falando algo e esqueceu repentinamente da palavra certa para descrever o que gostaria. Você tem convicção de que sabe aquela palavra, mas não consegue dizer, e, enquanto pensa, diz: "Calma, está na ponta da língua". Isso é processamento. A palavra, nesse caso, está lá, mas não conseguimos encontrar, o que significa que existem coisas ou memórias dentro de nós que não apagamos, mas que o tempo tenta nos fazer esquecer. E como isso se encaixa também em nossas experiências com Deus. Há episódios que formaram a nossa maturidade cristã e que fazem parte da nossa história, e que jamais podemos nos esquecer. Todavia, uma vez que temos consciência de como o nosso processamento cerebral funciona, precisamos criar mecanismos que nos impeçam de esquecer dessas experiências com Deus. E se tem algo que nos esquecemos com facilidade é do nosso testemunho. É triste, mas quantos de nós não nos esquecemos de onde Deus nos tirou, do que Ele já fez por nós, do que já recebemos d'Ele e até mesmo do que Ele é capaz de fazer? É por isso que tantas vezes reclamamos de Deus, O questionamos, repetimos que Ele não nos enxerga, ouve ou faz, porque, na verdade, Ele já fez, já falou, já trouxe respostas centenas e milhares de vezes, mas nós nos esquecemos.

E quando penso nisso, me lembro da passagem de João 21:

> E, depois de terem jantado, disse Jesus a Simão Pedro: Simão, filho de Jonas, amas-me mais do que estes? E ele respondeu: Sim, Senhor, tu sabes que te amo. Disse-lhe: Apascenta os meus cordeiros. (João 21.15)

Quando Jesus pergunta para Pedro se ele O amava, o Mestre estava trabalhando na memória de Pedro, porque eles tinham uma história extraordinária juntos, mas que estava sendo soterrada pelo esquecimento do pescador. O contexto dessa passagem de João é a crucificação e ressurreição de Jesus, e a traição de Pedro. A Palavra nos revela que essa era a terceira aparição que Jesus fazia para os discípulos, entretanto, apesar de saber que Ele estava vivo, Pedro ainda estava amargurado e triste por tê-lO negado. Sabemos disso, porque ele havia sido encontrado na praia, pescando; exatamente do mesmo modo que Jesus o havia achado quando o convidou para segui-lO. Ele havia voltado às velhas práticas de antes. Era quase como se a sua postura dissesse que por tudo o que tinha acontecido, a melhor opção seria voltar a fazer o que ele fazia antes, já que não se achava mais digno de andar com o Mestre. Ali, apesar de ter vivido, visto e aprendido tantas coisas com Jesus, Pedro havia se esquecido de sua história com Ele por estar focado demais no remorso por tê-lO negado.

A Bíblia conta que de início, os discípulos não O reconheceram, até que João, o discípulo amado, percebeu que o homem que havia se aproximado era o Senhor. Assim que foram interrogados a respeito do jantar, todos responderam que não haviam conseguido pescar nada, embora tivessem tentado a noite inteira. Jesus, já sabendo da resposta, lhes instruiu jogar a rede para o lado direito do barco. Os discípulos, então, lançando a rede e puxando-na de volta, quase não conseguiram tirá-la da água, tamanha era a multidão de peixes que se encontrava na rede.

O interessante, porém, é que tempos antes, essa mesma situação já havia acontecido com eles. Em Lucas 5 diz:

> Certo dia Jesus estava perto do lago de Genesaré, e uma multidão o comprimia de todos os lados para ouvir a palavra de Deus. Viu à beira do lago dois barcos, deixados ali pelos pescadores, que estavam lavando as suas redes. Entrou num dos barcos, o que pertencia a Simão, e pediu-lhe que o afastasse um pouco da praia. Então sentou-se,

e do barco ensinava o povo. Tendo acabado de falar, disse a Simão: "Vá para onde as águas são mais fundas", e a todos: "Lancem as redes para a pesca". Simão respondeu: "Mestre, esforçamo-nos a noite inteira e não pegamos nada. Mas, porque és tu quem está dizendo isto, vou lançar as redes". Quando o fizeram, pegaram tal quantidade de peixe que as redes começaram a rasgar-se. Então fizeram sinais a seus companheiros no outro barco, para que viessem ajudá-lo; e eles vieram e encheram ambos os barcos, a ponto de quase começarem a afundar. Quando Simão Pedro viu isso, prostrou-se aos pés de Jesus e disse: "Afasta-te de mim, Senhor, porque sou um homem pecador!". Pois ele e todos os seus companheiros estavam perplexos com a pesca que haviam feito, como também Tiago e João, os filhos de Zebedeu, sócios de Simão. Então Jesus disse a Simão: "Não tenha medo; de agora em diante você será pescador de homens".
(Lucas 5.1-10)

Sempre que lemos esses versículos temos a tendência de encarar a reação de Pedro como positiva. "Sobre a Tua palavra eu lançarei a rede". Contudo, após analisar um pouco mais, só consigo concluir que, na verdade, o que Pedro estava querendo fazer era transferir a responsabilidade para Jesus. Era quase como se ele dissesse que se aquela empreitada desse errado, a culpa seria do Mestre. "Se der errado foi o Senhor quem disse, porque eu sou pescador; eu sei como pescar!". A Bíblia diz que o discípulo lança a rede e ela sai da água lotada de peixes. Pedro e os outros que estavam com ele, por sua vez, ficaram perplexos e admirados; e, naquele momento, deixaram tudo para trás para segui-lO. Ali teve início o testemunho de Pedro.

Assim, a partir daquele dia, Pedro passou a experienciar todos os milagres que o Mestre fazia. Se acontecia uma tempestade, Jesus a acalmava. Se os doentes vinham até Ele, eram curados. Os endemoniados eram libertos. Se o vinho tinha acabado, Ele transformava água em vinho. Jesus andava sobre as águas. Ele ressuscitava mortos. E até mesmo fez Pedro andar sobre as águas. Curou a filha de Jairo, a mulher do fluxo de sangue e a sogra de Pedro. Foram tantas e tantas experiências com Jesus, tanto tempo investido, tantos ensinamentos e demonstrações do Reino, porém, ainda assim, Pedro continuava falhando.

Imagino se Jesus tivesse desistido de Pedro em algum momento. Se, por um acaso, no instante em que o discípulo tivesse confundido Jesus com um fantasma, enquanto Este andava sobre as águas, Ele tivesse decidido parar de investir em Pedro. Ou quando este repreendeu a Jesus. Ou quando O negou. Ou tantas outras situações. Talvez fosse mais fácil permanecer apenas com João, o discípulo amado. Mas acho engraçada a maneira como Ele decide investir nos menos prováveis, nos que ninguém tem fé, naqueles que ninguém acredita. Temos dificuldade de acreditar em Pedro, muitas vezes, porque sempre nos lembramos do homem que negou a Cristo, e não do apóstolo que em sua primeira pregação levou mais de três mil almas ao arrependimento. Mas era este que Jesus enxergava em Pedro desde o início. Isso porque Ele tem visão, sabe quem somos de verdade e quem nos tornaremos. Ele enxerga em nós o que ninguém consegue ver.

Se Jesus desistisse de nós cada vez que cometêssemos um erro, não sobraria ninguém para contar a história. Ele sabe que nós iremos falhar, mesmo andando com Ele. Entretanto, a diferença é que não vivemos mais uma vida de pecado. Podemos até mesmo falhar, desanimar e cair, mas essa não é mais a nossa natureza, e não pode ser. Apesar de caminharmos com Jesus, ainda estamos passando pelo processo de santificação de nossa alma, e isso continuará até a volta de Cristo. É por esse motivo que Pedro, assim como nós, mesmo andando o tempo inteiro com o Mestre, ainda tinha impulsos carnais ao invés de espirituais. A carne luta contra o espírito, conforme Gálatas nos diz, e é necessário constante vigilância para que possamos nos manter em pé:

> Pois a carne deseja o que é contrário ao Espírito; e o Espírito, o que é contrário à carne. Eles estão em conflito um com o outro, de modo que vocês não fazem o que desejam. (Gálatas 5.17)

Quanto mais fortalecermos o nosso espírito mais reagiremos, pensaremos e nos pareceremos com Jesus. Disciplinas espirituais como jejum, oração, leitura da Palavra, tempo de adoração e comunhão com Deus são algumas das práticas básicas e diárias que precisamos adotar para alimentarmos o nosso espírito. Agora, se a nossa carne tiver prioridade para nós, é ela quem ditará as regras, e isso é muito mais fácil de acontecer, uma vez que já temos a propensão carnal do pecado em nós. É por isso que precisamos ser radicais em nosso amor e obediência a Deus. Não de uma forma religiosa e engessada, mas guiados pelo Espírito Santo.

As pessoas mais apaixonadas por Jesus que eu conheço são extremamente radicais por Ele. E o são não por fanatismo, mas porque entenderam o tesouro e privilégio que é poder caminhar com o Mestre. E é a revelação desse amor que os impulsiona a entregar tudo e viver como se mais nada importasse. Todo cristão deveria ser assim.

  Acredito que muitas vezes, acabamos perdendo oportunidades de viver grandes aventuras com Deus porque estamos ocupados demais em mantermos a nossa vida afundada na mediocridade. Damos mais valor à segurança, estabilidade e conforto do que à vontade de Deus. Seja por covardia, medo, mediocridade ou qualquer outra desculpa, nos afastamos da vida extraordinária que Ele tem para nós para nos contentarmos com migalhas que a religiosidade pode oferecer. Recebemos tantas palavras acerca do nosso chamado, futuro e o que Deus quer fazer através de nós, mas nos escondemos ou pensamos que não somos capazes. Jesus já nos chamou, salvou, limpou, e fez o que ninguém poderia fazer, mas muitos de nós continuam com a mesma vida de antes, indo nos cultos de domingo, porém com a mesma mentalidade, as mesmas práticas, o mesmo contexto, e as mesmas perspectivas. Então, terceirizamos tudo em nossa caminhada ao invés de darmos passos de fé, que, com certeza, nos colocarão em risco e desafiarão o nosso cristianismo. Se alguém precisa de oração, apontamos para outra pessoa que julgamos mais qualificada. Se alguém precisa de cura, não oramos por medo de não acontecer nada. Se Deus toca o nosso coração para ofertarmos uma quantia extravagante, defendemos que é algo da nossa cabeça, afinal, precisamos pagar as contas em dia e honrar esses compromissos. Pare de viver de maneira medíocre. Esse não é o tipo de cristianismo que Deus nos chama para viver, e nem é o tipo que tem o poder de mudar as pessoas e realidades ao redor. Precisamos ser radicais por Deus. Porque se Ele mesmo é radical em amor por nós, nossa resposta nunca deveria ser menos do que entregá-lO tudo de volta.

    Pedro, apesar de tudo, era radical. Às vezes, sinto que Deus honra especialmente os que se posicionam dessa forma. E, sinceramente, cada vez mais percebo a necessidade de nos posicionarmos com radicalismo e amor diante das pessoas. Afinal se fosse para vivermos uma vida cristã apenas frequentando a igreja aos domingos, deveríamos escolher outra religião, porque o cristianismo, como disse C. S. Lewis, não tem nada de confortável. O mundo aguarda com ansiedade a manifestação dos filhos de Deus. Filhos corajosos, cheios de vida, amor e alegria para distribuir aos outros. Filhos seguros em suas identidades, propósitos e com os caráteres tratados. Não é a respeito de perfeição, mas de posicionamento e entrega. Quando o nosso coração está no lugar certo, e buscamos por sempre mais de Deus, somos transformados à Sua semelhança.

    Entretanto, na passagem de João 21, mesmo depois de ter sido tão transformado por Jesus, Pedro havia voltado a pescar. Naquele momento, ainda que tivesse errado por tê-lO negado, o discípulo havia esquecido de quem tinha se tornado ao lado do Mestre. Muitas vezes isso acontece conosco também. Estávamos indo tão bem em nossa caminhada, quando, de repente, tropeçamos, caímos, e ao invés de nos levantarmos, nos sentimos acusados pelo erro e indignos de continuar. Com isso, apesar das promessas e palavras de Deus, muitos enterram o que receberam por focarem demais no erro e se esquecerem da história que já estavam construindo com Deus. A Bíblia nos conta que foi isso o que aconteceu com Pedro, mas o interessante é que mesmo que tivesse voltado a pescar, o capítulo nos revela que nem ele e nem os que estavam com ele foram capazes de fisgar peixe algum. Quando Jesus muda a nossa natureza, não conseguimos mais voltar atrás. É como se não encaixássemos mais, como se não fôssemos mais habilitados ou aptos para fazer o que fazíamos antes. Não servimos mais para as coisas que praticávamos quando tínhamos a nossa velha natureza, porque aprendemos com Jesus como andar e o Seu jeito de andar é particular; só aqueles que caminham com Ele sabem.

De manhã cedinho, enquanto voltavam para a praia sem nenhum peixe, Pedro e os outros avistaram Jesus, mas não O reconheceram. Ao serem interrogados por Ele se tinham algo para comer, responderam com uma negativa. Então, como se quisesse refrescar a memória, principalmente, de Pedro, Jesus os convida a lançar a rede para o lado direito do barco, e, assim que O obedeceram, receberam-na lotada de peixes. Pedro já tinha visto aquilo antes. Imagino que era como se um filme pudesse passar em sua mente. A mesma cena de Lucas 5, no momento em que havia sido comissionado, acontecendo novamente em João 21. Acredito que essa similaridade era proposital. Cristo estava relembrando Pedro de onde Ele o havia tirado, e com isso, toda a história que tinham juntos.

Ao levantarem a rede, cento e cinquenta e três peixes grandes haviam sido capturados e, mesmo assim, ela não arrebentou. A Palavra diz que Jesus os convidou a trazer os peixes para colocá-los em uma fogueira que já estava montada quando eles desembarcaram. Nenhum deles precisava perguntar a respeito da identidade de Jesus, pois sabiam que era Ele. Após terem comido, o Mestre virou-se para Pedro e perguntou-lhe: "Pedro, tu me amas?". Pela história, sabemos que isso se repetiu mais duas vezes, o que deixou o discípulo muito chateado. Mas o que talvez ele não tenha entendido logo de cara é que Jesus não estava em dúvida sobre a sua resposta, e sim lembrando a Pedro aquilo que ele tinha esquecido. Cristo estava recordando a Pedro do amor que ele mesmo tinha e do comissionamento que havia recebido, e, juntamente com isso, todas as histórias e experiências que tinham vivido juntos. Naquele momento, provavelmente, ele lembrou das coisas incríveis, mas também se lembrou dos piores momentos de sua caminhada com o Mestre. Ele se lembrou das repreensões, dos seus impulsos, crises, do galo cantando três vezes, e eis que tudo começa a fazer sentido novamente. E, apesar de todas as memórias que doíam, ele finalmente havia entendido: "Eu desisti de Jesus, mas Ele nunca desistiu de mim". O Mestre não precisava se lembrar daquilo, mas Pedro sim. E nós somos assim também. Temos que nos lembrar o tempo inteiro da nossa história com Cristo. Somos nós que precisamos trazer à memória o que Jesus já nos prometeu, aquilo que Ele já fez por nós, todos os milagres e graça que já derramou sobre nós, o emprego que já nos deu, a enfermidade que já nos curou, as respostas de oração que já nos trouxe, o lugar de onde Ele nos tirou. Nós é que precisamos recordar o que Jesus já fez por nós. Constantemente eu faço isso comigo. Eu me lembro da primeira vez que preguei em Joinville, a minha cidade, em uma congregação bem pequenininha. Eu não sabia de nada ainda, e as pessoas, inclusive, não colocavam muita fé em mim, mas eu tinha palavras de Deus, e era nisso que eu me agarrava. Antes de começar a pregar, Jesus me alimentava com as promessas de que os dias em que eu pregaria iriam chegar, mas foi necessário fé para crer, sempre trazendo à memória o que eu já havia escutado de Deus, mesmo que eu não visse nada, porque quem estava me chamando era Ele, então seria Ele que completaria aquelas promessas em minha vida. Precisamos nos lembrar que o Deus que nos salvou é Aquele que cuida de nós. Precisamos nos lembrar que se Ele nos disse algo há muito tempo, Ele não quebrará a Sua promessa, mas o nosso papel é manter essas palavras frescas em nossa memória, porque serão elas que nos trarão esperança e nos incentivarão a perseverar. Precisamos nos lembrar de que tudo o que somos e temos vem d'Ele, porque se nos esquecermos, voltaremos a pescar.

    O problema é que, apesar de tantas vezes nos esquecermos das coisas boas que Deus já fez em nossas vidas, em normalmente diversos momentos nos esquecemos também de tudo o que já fizemos de errado. Ou seja, nos esquecemos dos buracos que tropeçamos, das atitudes e posturas que já tivemos e estavam erradas, e, acabamos repetindo de novo e de novo. Com Pedro não foi diferente. Deus já havia falado, tratado e alertado centenas de vezes e, mesmo assim, ele acabou caindo no mesmo buraco.

Entretanto, ao final, as memórias doloridas haviam lhe trazido cura. E aquilo que um dia tinha sido constragedor e doído, naquele momento passou a ser a verdade e esperança que ele precisava para saber quem era e o que tinha que fazer. Talvez por isso, quando é questionado pela terceira vez, o semblante de Pedro se entristece, porque naquele instante possivelmente ele tinha se lembrado de tudo, inclusive da terceira vez que o galo havia cantado. A sua resposta, apesar de triste, foi a mesma. Mas, se existisse a minha versão bíblica, eu imagino que Jesus, provavelmente, olharia para ele sorrindo e diria: "Que bom que você lembrou, Pedro. Que bom.".

Lembre-se. Lembre-se de tudo o que já aconteceu com você. Do que Deus já fez em seu favor. De quem Ele é. E perceba a Sua bondade, justiça, fidelidade e amor em cada instante de sua vida. Não se permita esquecer. Traga à memória, porque essa talvez seja uma das armas mais poderosas de que podemos nos servir.

CAPÍTULO 8

O Jumento Entendeu

Algo que eu amo acerca da Bíblia é que tanto o Velho quanto o Novo Testamento revelam Jesus. Ele é o centro da Palavra. O personagem principal. Mesmo quando ainda não havia se encarnado, tudo já apontava para Ele. Assim que se tornou homem, as profecias passaram a se cumprir e, finalmente, fomos capazes de nos reconectar com o Pai e voltar para casa. Isso, talvez mais do que qualquer coisa, me faz entender o quanto tudo tem a ver com Ele, e não comigo e com você. Jesus é quem tem todo o poder e merece toda a glória, e não nós. Entretanto, no meio do processo, diversas vezes acabamos nos esquecendo disso e pensamos que tudo acontece por nossos talentos, capacidades e esforços. É evidente que essas coisas não podem ser descartadas, afinal, nós, como Corpo de Cristo, somos Seus braços, pés, mãos e pernas para as pessoas, mas isso não significa que as coisas aconteçam por nossa causa ou mérito. Se Jesus é o Cabeça da Igreja, é simples entender que nada pode funcionar sem

Ele, o cérebro da nossa missão, afinal, não sei você, mas eu tenho certeza de que nunca vi nenhum corpo funcionando e andando por aí sem uma cabeça. O cérebro é quem dá os comandos. Ele é quem guia e envia as direções para todo o resto do corpo.

Enquanto pensava nisso, outro dia, me deparei com a passagem da entrada triunfal de Jesus em Jerusalém, que pode ser encontrada nos quatro evangelhos. Todas as vezes em que lemos esse trecho, pensamos na humildade e simplicidade de Jesus, o que realmente é verdade, mas comecei a entender um pouco melhor o que havia acontecido naquele momento quando pesquisei sobre os jumentos e a doma desse animal, e ao ler a profecia que apontava para aquele evento.

A entrada triunfal em Jerusalém já tinha sido profetizada em Zacarias 9:

> Alegra-te muito, ó filha de Sião; exulta, ó filha de Jerusalém; eis que o teu rei virá a ti, justo e Salvador, pobre, e montado sobre um jumento, e sobre um jumentinho, filho de jumenta. (Zacarias 9.9)

E, obviamente, Jesus, sabendo disso, velou por cumprir aquela palavra, já que tudo o que Ele fazia era para cumprir o que já tinha sido profetizado a Seu respeito. Ele não veio para suprir os paradigmas dos fariseus, não veio para atender a expectativa das pessoas ou até mesmo fazer o que queria; Ele veio para cumprir a expectativa do Pai, que tinha sido revelada bem antes d'Ele encarnar como homem. Tudo o que Jesus fazia apontava para o Pai e tudo o que Deus ordenou e revelou antes apontava para Jesus. Por esse motivo, Jesus, em vez de montar em um cavalo ou qualquer outro tipo de meio de transporte mais sofisticado, escolheu um jumento. O interessante, porém, é que, possivelmente pelo fato de a maioria de nós ter crescido em grandes cidades, à base de iogurtes e cereais, não conseguimos entender a profundidade do que aconteceu ali. Por outro lado, provavelmente se alguém nasceu no interior e estiver lendo este livro, compreenderá com mais facilidade o pequeno milagre que nunca prestamos tanta atenção, mas que aconteceu na entrada triunfal.

Em Marcos 11, a Bíblia narra aquele momento da seguinte maneira:

> E, logo que se aproximaram de Jerusalém, de Betfagé e de Betânia, junto do Monte das Oliveiras, enviou dois dos seus discípulos, e disse-lhes: Ide à aldeia que está defronte de vós; e, logo que ali entrardes, encontrareis preso um jumentinho, sobre o qual ainda não montou homem algum; soltai-o, e trazei-mo. E, se alguém vos disser: Por que fazeis isso? dizei-lhe que o Senhor precisa dele, e logo o deixará trazer para aqui. E foram, e encontraram o jumentinho preso fora da porta, entre dois caminhos, e o soltaram. E alguns dos que ali estavam lhes disseram: Que fazeis, soltando o jumentinho? Eles, porém, disseram-lhes como Jesus lhes tinha mandado; e deixaram-nos ir. E levaram o jumentinho a Jesus, e lançaram sobre ele as suas vestes, e assentou-se sobre ele. E muitos estendiam as suas vestes pelo caminho, e outros cortavam ramos das árvores, e os espalhavam pelo caminho. E aqueles que iam adiante,

e os que seguiam, clamavam, dizendo: Hosana, bendito o que vem em nome do Senhor; Bendito o reino do nosso pai Davi, que vem em nome do Senhor. Hosana nas alturas. E Jesus entrou em Jerusalém, no templo, e, tendo visto tudo em redor, como fosse já tarde, saiu para Betânia com os doze. (Marcos 11.1-11)

A história conta que Jesus pediu para dois de seus discípulos buscarem um jumentinho que estava em uma aldeia próxima, e que nunca havia sido montado antes, para que Ele entrasse na cidade sobre o animal. Entretanto, a Bíblia não dá muitos detalhes a respeito da relevância de sabermos que aquele jumento nunca tinha sido montado antes. Sempre pensei que fosse pelo fato de Jesus merecer as primícias, o que não deixa de ser uma possibilidade também, mas passei a ter uma nova perspectiva sobre essa passagem quando estudei um pouco mais sobre a doma e o comportamento dos jumentos.

Uma das primeiras coisas que descobri a respeito desse animal é que ele é caro. Com certeza, não tanto quanto cavalos, ainda mais de raça, mas o jumento tem um preço alto. Eu pensava que pelo fato de serem inferiores, se comparados com outros animais de carga da mesma família, eles teriam um preço desvalorizado, mas não. A segunda coisa que descobri é que o jumento é um dos piores animais para ser domado, porque ele é teimoso, empacador, desconfiado e arisco.

Para que a doma aconteça, sáos necessários tempo e investimento. Ninguém é capaz de montar em um jumento sem antes domá-lo. Um dos métodos que encontrei se inicia com o dono tentando ganhar a confiança a partir do contato visual e carinho no rosto do animal. Depois de mais ou menos uma semana repetindo essas ações, visando não apenas ganhar a confiança, mas também a submissão do jumento, o dono começa a introduzir a sela pouco a pouco, sempre tirando e colocando rápida e diariamente até que ele se acostume. Na semana seguinte é a vez do freio, um procedimento lento e diário também, assim como os outros. Somente após todas essas semanas e o longo processo, é que se torna possível montar no jumento e mantê-lo em submissão, o que não significa que ele sairá andando, afinal ele continuará sendo empacador e teimoso. Se, por acaso, no meio desse processo, o jumento perceber que o dono está com segundas intenções, este precisaria iniciar o trabalho todo de novo. Isso quer dizer que, se o animal de Marcos 11 nunca havia sido montado, ele também ainda não tinha sido domado, o que nos revela um ângulo totalmente diferente daquela passagem.

A Bíblia nos afirma que, ao entrar em Jerusalém, Jesus solicitou aos discípulos o jumentinho, que, sem oposições, foi desamarrado e teve a sela colocada em suas costas para carregar o Rei dos reis. Aquele animal entendeu o que eu e você demoramos uma vida para entender: quem manda é Jesus. Apenas Ele sabe o que é melhor para mim e para você. Somente Ele conhece o nosso amanhã. Ele é quem tem um destino para nós, e, se não fosse por Ele, ainda estaríamos amarrados em algum lugar.

Há pessoas que vivem a vida inteira sem se deixarem dominar pelo amor de Deus. Até vão à igreja, mas não se rendem a Ele completamente, porque preferem manter suas armaduras, seja pelo motivo que for. Muitos têm medo de se machucar, outros desconfiam, alguns têm dificuldade em se submeter, e por aí vai. Entretanto, gostando ou não, para isso não existem negociações: Jesus é o único comandante. Por outro lado, é reconfortante saber que esse mesmo Homem que nos guia, e é o nosso Cabeça, não conhece outra forma de liderar senão pelo amor. Seria triste, para não dizer trágico, se o nosso líder fosse autoritário, opressor, abusivo, impiedoso e violento. Mas Ele, definitivamente, não é assim. Jesus é a encarnação pura e santa do amor de Deus por nós. Tudo o que Ele faz tem como base o amor, já que essa é a Sua essência, quem Ele é. Amor este que é imerecido, que não tem condições, limites ou fim, mas que é persistente em nos encontrar, ainda que o rejeitemos. Torna-se fácil ser guiado por um líder assim tão compassivo, bondoso, firme, seguro e amoroso. Jesus não apenas nos lidera porque sabe o caminho certo que devemos seguir, mas porque Ele mesmo é esse Caminho.

  Todavia, é importante entendermos que, apesar da natureza divina ser tão insaciavelmente boa e cheia de amor, Ele não abre mão da liderança. Ele nunca nos força a nada, mas se queremos andar com Jesus, precisamos saber que quem guiará é Ele, afinal de contas, não tem como dois reis dividirem o trono. Se queremos assentar no trono do nosso coração, devemos saber que Cristo é educado demais para competir por autoridade. Ele é realeza, e reis de verdade sabem quem são, e, por isso, não precisam disputar aquilo que é seu por direito. Se queremos reinar, Ele não passará por cima de nossa vontade, mas, se escolhermos deixá-lO governar em nosso coração, temos de saber que Ele é quem ditará o caminho e a forma de seguir. E aquele jumento, sem dificuldade, entendeu isso.

A Palavra nos conta que aquele animal estava amarrado, o que, provavelmente, indicava que alguém já havia tentado montar nele e não conseguira, talvez barrados pela selvageria e xucrice do jumento. Na verdade, o meu pastor, Sérgio Melfior, que veio do interior e cresceu rodeado por essa realidade, me explicou que é assim que funciona. Quando um animal é deixado amarrado, é porque houve uma tentativa de doma frustrada e, então, desistem dele. Ele não serve para nada.

No entanto, Jesus manda trazê-lo, porque Ele é o único que decide investir naqueles que não servem para nada; naqueles que ninguém acredita. Ele enxerga potencial e futuro, e quando permitimos que Ele tome as rédeas e guie a nossa história, passamos a ter um destino. Porém, se decidimos fazer as coisas do nosso jeito e reinar em nossa vida, vivemos amarrados e esquecidos, porque ninguém decidirá investir em nós, a não ser Jesus. Não existe ninguém que seja descartável para Ele. Inclusive, as Escrituras nos garantem que até mesmo se uma mãe se esquecer de seu filho, Deus nunca se esquecerá e deixará de acreditar em nós:

> Será que uma mãe pode esquecer do seu bebê que ainda mama e não ter compaixão do filho que gerou? Embora ela possa se esquecer, eu não me esquecerei de você! (Isaías 49.15 - NVI)

Esse versículo sempre mexeu muito comigo, porque, apesar de eu nunca ter sido abandonado por meus pais, eu já me senti dessa maneira diversas vezes. Quando penso na dimensão, profundidade e contexto doloroso que essas palavras foram ditas, consigo sentir ainda mais o amor de Deus por nós. Sentir-se abandonado, rejeitado e não amado talvez seja o pior sentimento de todos, porque é justamente o oposto daquilo que fomos criados para ser. Nós fomos feitos para amar e recebermos de volta esse amor. Porém, algumas vezes, somos obrigados a engolir situações que não estavam em nossos planos. Alguns foram abandonados pelos pais, outros por amigos, conjugês, por pessoas que um dia lhes juraram amor. Outros foram obrigados a conviver com a solidão. E outros ainda nunca conseguiram se sentir amados. São como aquele jumento, abandonado e descartado pelas pessoas. Entretanto, ainda que todas as pessoas virassem as costas para nós, Deus jamais desistiu e jamais desistirá de nós. E a verdade é que, por mais traumático e horrível que possa ser conviver com o abandono de pessoas terrenas, ainda que voltassem atrás, o amor delas não seria suficiente. O amor humano é falho e efêmero. Somente o amor divino é capaz de completar, curar e desatar as amarras que nos prendem, como ele fez com o jumentinho. Ele acredita em nós. Ele investe, mesmo que ninguém mais queira. Mesmo que ninguém dê crédito, coloque fé ou leve a sério. As pessoas podem ter desistido, mas Ele insiste, não apenas porque sabe quem você pode se tornar n'Ele, mas porque é isso o que o amor faz.

    Por outro lado, receber esse amor e andar com Jesus são escolhas, e a maneira como andamos com Ele também. Judas andou com o Mestre, assim como João, mas não conseguiu entender e aprender a amar como este. Judas andou com Jesus, mas não buscou a intimidade e fixou os olhos n'Ele, como o discípulo amado. Podemos escolher caminhar com Cristo, mas manter o nível de intimidade de Judas. Tudo depende do quanto estamos dispostos a nos entregar e render.

    Fico imaginando a cena da entrada triunfal, e cada vez mais me convenço de que no momento em que se aproximou de Jesus, o jumento entendeu: "A minha natureza é forte, mas a d'Ele é mais". É evidente que o jumento não pensou na dimensão e desdobramentos que esse evento causou em sua vida, mas fica clara a lição que nós, ao nos depararmos com essa história, podemos aprender e compreender. Naquele momento, mesmo que não tivesse a capacidade de entender o que estava acontecendo ali, aquele animal reconheceu a autoridade de Jesus, e escolheu se submeter. Muitos, por terem sido criados em famílias com personalidade e cultura fortes, em que tudo é motivo de gritaria, irritação, pavio curto e atritos, dão desculpas de que nunca conseguirão mudar. Porém, esse também era um impecilho para o jumento, a diferença é que ele escolheu se submeter e se deixar domar. Aquele animal entendeu que o Mestre o chamava e apenas se entregou. Algumas vezes, o nosso coração está tão cheio de orgulho e autossuficiência que preferimos seguir o nosso próprio caminho à termos de ser moldados por Cristo. Algo importante que precisamos manter em mente é que a decisão por Jesus nos implicará, automaticamente, em mudanças constantes. Não existe a possibilidade de caminharmos com Jesus sem deixarmos que Ele transforme o nosso coração, mente e modo de agir. Sem a transformação divina, seríamos apenas vítimas de uma religião vazia e cheia de regras. Todavia, o convite de Deus para nós tem a ver com relacionamento, e não autoritarismo. Precisamos entender que a vida com Deus é a melhor aventura que algum dia poderemos sonhar em viver, porém ela tem um preço. Precisamos entregar tudo se quisermos viver um cristianismo genuíno. Temos de entender que, se optamos por Cristo, Ele é quem nos guiará. E não há problema se somos difíceis, se as pessoas que já investiram em nós desistiram ou se no começo ficaremos desconfiados. Basta dizermos sim para o Mestre e deixarmos que Ele nos adestre, dome e mostre o que o Seu amor é capaz de fazer, mesmo com o pior e mais rejeitado dos humanos. Não há ninguém na face da Terra que Jesus não tenha a capacidade de transformar e amar.

Pare de ficar batendo de frente com Jesus. Pare de pensar que você é quem sabe o que é melhor para você. Muitas vezes, optamos por seguir a nossa intuição, vontades ou o que achamos ser o melhor para nós, e pensamos estar no caminho correto, porque as coisas estão dando certo até o momento. Mas só porque está tudo bem, e ainda não deu errado, não quer dizer que seja o certo, e muito menos o melhor. Quando escolhemos ir sozinhos, somos apenas mais um à mercê do acaso. Porém, com Jesus, o nosso futuro é garantido. Abra mão dessa natureza de querer manipular e controlar tudo, e confie que Ele sabe guiar. Provérbios diz:

> Em seu coração o homem planeja o seu caminho, mas o Senhor determina os seus passos. (Provérbios 16.9 - NVI)

O Senhor, sim, sabe o que é melhor para mim e para você. Porque Ele conhece o nosso amanhã. Em minha caminhada com Deus, aprendi, que, muitas vezes, as coisas podem não fazer sentido no começo, mas isso não quer dizer que Deus tenha errado na direção ou tenha se confundido em relação ao nosso futuro. Não, Ele sempre tem um plano certeiro.

Eu me lembro quando contei para a minha família que queria estudar para ser um advogado e professor universitário. Ninguém tinha feito faculdade em casa, eu seria o primeiro, então, quando a época de prestar vestibular chegou, e eu passei e entrei na Universidade, todos os paradigmas foram quebrados em mim. A minha família tinha altas expectativas a meu respeito, e, por isso, mesmo que eu ainda não fosse formado, me tratavam como doutor e aproveitavam para fazer consultas jurídicas, embora eu não soubesse praticamente nada ainda. Durante os cinco anos em que estudei, eu ouvia sobre o orgulho e expectativa deles sobre o meu futuro. Nesse tempo, eu me esforcei mais do que qualquer um que conhecia. Como, além de advogar, eu queria ser professor de Universidade, eu dava palestras na faculdade e até criei um plano estratégico para somar atividades extras em meu currículo. No dia da minha formatura, eu fiz um dos discursos, enquanto toda a minha família estava lá me aplaudindo. Minha mãe nunca havia me visto tão bonito. Eu sabia o preço que havia pagado para estar ali, e os meus familiares também. Entretanto, pouco tempo depois, eu recebi diversas confirmações de Deus de que Ele havia me separado para o ministério. Aquilo foi um choque para mim. Eu olhava para onde a minha vida estava indo e absolutamente nada fazia sentido. Eu havia estudado tanto, corrido atrás e me esforçado de maneira tão precisa para alcançar o que eu pensava ser o melhor para a minha vida. Mas não era isso o que Deus tinha para mim, e, mesmo que eu não entendesse o que estava acontencendo, decidi me submeter à Sua liderança e ao Seus planos para mim. No início, escutei que eu iria passar fome, que iria envergonhar a minha família e até mesmo que tudo isso era fogo de palha. A minha mãe se desesperou e me fez tentar mudar de ideia, dizendo que era possível abrir o meu escritório de advocacia e pregar ao mesmo tempo. Tantos me acusaram e colocaram peso, mas eu tinha uma palavra de Deus. Confesso que muitas vezes passei por situações extremamente difíceis e desconfortáveis para mim. Pensei em desistir inúmeras vezes. Eu mesmo me questionava a respeito do que estava acontencendo com a minha vida, mas todas as vezes em que as coisas apertavam, Deus sempre me lembrava: "Deixe o controle comigo, menino! Fique calmo, Jerusalém está chegando". Mesmo com as dificuldades, Ele nunca deixou de me provar Sua bondade, amor e fidelidade em todos estes anos.

Esse é o meu caminho até Jerusalém, assim como aquele jumentinho, e sei que ainda tenho muito o que viver até chegar lá. E no dia em que eu chegar, todas as minhas perguntas serão explicadas, mas enquanto eu ainda estou indo, e não cheguei, tenho a plena certeza de que Quem está me levando sabe o endereço, e mais, Ele sabe do que eu preciso.

É isso o que o salmista nos garante no capítulo 37:

> "Entrega o teu caminho ao SENHOR; confia nele, e ele o fará". (Salmo 37.5)

A confiança é a base de qualquer relacionamento sadio. Porém, apesar de Deus nunca ter feito nada para merecer a nossa desconfiança, mesmo assim acabamos nos relacionando com Ele de maneira incrédula e receosa. É evidente que falar a respeito de confiança é simples, mas a prática, na maior parte das vezes, é bem complicada. É preciso coragem e fé para confiar, porque somos humanos e se tem algo de que gostamos é controle. O controle, por outro lado, vicia. Mas também pode sufocar, porque não fomos feitos para isso. Não fomos criados com a habilidade de distinguir o que é melhor para nós, e mais, mesmo que descubramos esse melhor, ainda assim não seremos capazes de suprir o que precisamos.

Há alguns anos, assisti a um filme que me fez refletir muito a respeito disso. [1]*Click* foi lançado em 2006 e conta a história de um arquiteto [2]*workaholic* que acaba negligenciando a sua família por causa do trabalho. A certa altura do longa-metragem, Michael Newman, personagem principal, interpretado por Adam Sandler,

---

1. Click. Direção: Frank Coraci. Produção: Adam Sandler; Jack Giarraputo; Neal H. Moritz; Steve Koren; Mark O'Keefe. Estados Unidos: Columbia Pictures, 2006.

2. Expressão utilizada para se referir a pessoas viciadas em trabalho. Trabalhadores compulsivos.

se depara com um controle remoto universal, que lhe permite "avançar" e "voltar" em quaisquer partes de sua vida. Dessa forma, Newman acaba pulando os momentos ruins e chatos que viveu. Entretanto, no final, ele percebe que todas as más circunstâncias e pequenos instantes desprezados por ele, na verdade, haviam lhe ensinado lições vitais de vida, que formavam quem ele era como ser humano, e, por isso, não podiam ser apagadas ou colocadas de lado.

Não sabemos o que realmente é bom para nós, ainda que pensemos que sim. Nunca conseguiremos olhar o todo, o futuro, mas Deus tem essa capacidade e poder. Em contrapartida, torna-se fácil entregarmos a nossa vida a Ele quando pensamos que ainda poderemos manter o controle. Quando entreguei a minha vida para Jesus, nunca imaginei que Ele me pediria para não ser advogado. Jamais pensei que teria de romper com todas as expectativas da minha família para atender a uma expectativa do Céu. No começo do meu ministério, foi muito complicado, porque eu ainda estava aprendendo na prática que Jesus não avisa o processo, apenas o destino, e, por mais que eu quisesse confiar completamente, muitas vezes, eu me via com medo, cansado e com vontade de desistir. Isso não quer dizer que nunca mais sentirei essas coisas, mas, conforme o meu relacionamento com Deus se desenvolve, eu sei que a minha confiança e maturidade n'Ele crescem também, porque a cada situação, dificuldade e provação, tenho a oportunidade de experimentar uma nova manifestação do Seu poder e essência, e nisso O conheço mais e descubro de forma prática o Seu coração e o que Ele é capaz de fazer. Dessa maneira, as coisas que me abalavam antes, passam a ter cada vez menos efeito sobre mim. E isso não tem a ver apenas comigo, mas pode acontecer com qualquer um, basta nos posicionarmos. Vale lembrar que, quando somos guiados pelo Mestre, os obstáculos e problemas continuarão vindo, mas a partir do momento em que colocamos os nossos olhos n'Ele, sabemos que tudo o que acontecer não irá nos matar, mas nos tornar mais fortes e treinados. Quando decidi viver de maneira integral no ministério, eu costumava dizer que tinha aberto mão de tudo, porém, mais tarde, percebi que eu não havia aberto mão de nada, e, mesmo assim, recebi muito mais do que poderia sonhar. Ao escolher viver o que Deus tinha para mim, eu não apenas estava vivendo o tempo mais incrível e alegre da minha vida, mesmo com as provações, mas eu estava muito mais consciente a respeito de quem Deus era para mim, o que me levou a confiar n'Ele muito mais. Jeremias 1 diz:

> Antes de formá-lo no ventre eu o escolhi; antes de você nascer, eu o separei e o designei profeta às nações. (Jeremias 1.5 - NVI)

Mesmo antes de nascer, Ele já sabia do meu futuro. Eu estava amarrado, mas quando decidi Lhe entregar todo o curso da minha vida, Ele me direcionou para Jerusalém, o centro da Sua vontade.

No Velho Testamento, Jerusalém era onde a presença de Deus estava. Tanto que Daniel, por exemplo, orava virado para Jerusalém. Já no Novo Testamento, era onde a aliança se manifestava. Quando Jesus veio à Terra, morreu e ressuscitou, mas antes de ascender aos Céus, prometeu que não nos deixaria sozinhos, e, por isso, enviou-nos o Espírito Santo, o Consolador. A partir daquele dia, Ele nos direcionou para Jerusalém. A Nova Jerusalém. Antes estávamos amarrados pelo pecado, mas hoje temos um destino com Jesus, que sabe do que precisamos de verdade e nos guia em amor.

No final, o jumentinho chegou ao seu destino, Jerusalém. Obviamente, a Bíblia não relata a continuação da história daquele animal, mas é interessante imaginarmos a fama que ele conquistou ao entrar em Jerusalém com Jesus. Imagino que semanas mais tarde, o mesmo jumento, que antes era desprezado por todos e que, de repente, ganhou notoriedade entre o povo, tornou-se invisível e descartável novamente. Isso porque, sem Jesus, aquele animal era apenas um jumento.

Precisamos, de uma vez por todas, entregar o controle para Jesus. Precisamos devolver o que tiramos de Suas mãos, e que nem é nosso, já que Ele nos comprou. Decida Lhe dar o controle de volta e encontre em sua rendição, a cura, identidade e valor que você tem e só pode achar em Cristo.

CAPÍTULO 9

Não Escuto Deus

Há algum tempo, recebi um convite para pregar em uma cidade do estado de Goiás, e, quando cheguei, fui recebido no aeroporto pelo pastor da igreja local que tinha me convidado. Ao entrarmos no carro, pegamos cerca de 40 minutos de estrada até a cidade de destino, que, segundo o que o pastor havia me contado, era a cidade mais crente do Brasil, de acordo com algumas pesquisas feitas. Assim que me disse aquelas palavras, me animei e comecei a imaginar como seria esse lugar abarrotado de cristãos posicionados, proféticos e cheios de Deus. Fiquei imaginando pessoas na fila da lotérica recebendo profecias e orações. Cristãos que iam ao supermercado e evangelizavam o caixa, as pessoas da fila e os empacotadores. Homens e mulheres de Deus que aproveitavam qualquer oportunidade para manifestar o Reino dos Céus e o caráter de Cristo em suas vidas cotidianas. "Todo dia deve ser dia de pentecostes ali", pensei. Enquanto, rapidamente, esses filmes passavam em minha mente, aproveitei para perguntar àquele pastor como era o índice de criminalidade na cidade. Ele, sem hesitar muito, respondeu: "Altíssimo!". Achei aquilo extremamente assustador, mas logo cogitei a possibilidade de os ladrões serem de cidades vizinhas. Continuamos a conversa e, em certo momento, resolvi perguntar como era a questão da honestidade naquele lugar, se o povo era honesto, se pagava as contas em dia, se a taxa de inadimplência era baixa, mas, novamente, para a minha surpresa, aquele pastor discursou a respeito da dificuldade que a cidade enfrentava em relação a isso. Sem entender muito bem a ligação daquelas respostas com a informação inicial do nosso bate-papo, decidi fazer mais uma pergunta para aquele homem. "Pastor, me deixe perguntar uma última coisa. Como é o índice de divórcio na cidade?", questionei. "Muito, muito alto", ele respondeu. Eu mal podia acreditar no que estava ouvindo. Como a cidade considerada mais evangélica do Brasil parecia ter os piores ou mesmos índices que qualquer outra cidade do País? Aquilo não fazia o menor sentido para mim, e confesso que me entristeci muito com toda aquela situação. Conforme fomos entrando na cidade, percebi que a cada 50, 100 metros, havia uma porta de igreja aberta com um nome estranho. "O Vale do Óleo do Deserto da Macedônia", ou algo parecido com isso. A grande revelação é que os dados recolhidos por todas essas pesquisas levam em conta a quantidade de igrejas que aquele lugar possui, e não a transformação que os cristãos que moram ali passaram ou deveriam estar passando. A quantidade de igrejas no Brasil não salvará a nossa nação. O que salvará o nosso país é o posicionamento de cristãos que ouvem a voz de Deus e O obedecem. Do contrário, dados como estes continuarão apenas trazendo vergonha para o nome de Cristo.

Em 2 Crônicas 7 diz:

> E se o meu povo, que se chama pelo meu nome, se humilhar, e orar, e buscar a minha face e se converter dos seus maus caminhos, então eu ouvirei dos céus, e perdoarei os seus pecados, e sararei a sua terra. (2 Crônicas 7.14)

O povo de Deus precisa se levantar, buscar a face do Senhor e clamar pela mudança em nossa nação. Somos nós que precisamos nos arrepender primeiro, nos render, nos humilhar, orar e nos posicionar para que haja cura, restauração e transformação social. Mas jamais seremos capazes de fazer isso se não ouvirmos a voz de Deus e não valorizarmos a Sua Presença.

Desde o início da minha caminhada com Deus, sempre entendi a importância de dar valor à Sua voz e Presença, mas conforme fui desenvolvendo um relacionamento ainda mais profundo com Ele, percebi que essa também era uma manifestação do Seu amor por nós.

Em 1 Samuel 3, lemos a história da infância do profeta Samuel quando ele ainda vivia sob a tutela do sacerdote Eli, um homem que era responsável por ligar o povo a Deus e vice-versa, enquanto Cristo ainda não tinha vindo. A Bíblia relata que Ana, mãe de Samuel, não podia ter filhos, o que era motivo de muita vergonha, humilhação e tristeza, porém, depois de muito clamor e perseverança em oração, o Senhor atendeu o seu pedido e lhe concedeu um filho, o qual ela consagrou e devolveu a Deus. Para isso, ela entregou o menino nas mãos do sacerdote Eli, que não era uma pessoa qualquer, mas aquele conhecido como o homem que ouvia, e deveria ouvir, a Deus. A referência de autoridade espiritual do povo. Entretanto, apesar de ser um homem com uma incumbência eclesiástica tão forte e séria, a Palavra nos diz que Eli era um péssimo pai e sacerdote de seu lar. A sua casa era um caos e os seus filhos eram pessoas extremamente más e promíscuas.

Alguns vivem dentro da igreja, mas precisam ser evangelizados todos os dias. Frequentar uma igreja não nos torna cristãos, aliás esse engano tem confundido muitas pessoas que continuam com sua vida de pecado, mas pensam que, por estarem inseridos em um contexto de igreja, de alguma forma, estão imunes ou até mesmo santificados. Satanás não mudou as estratégias. Ele não precisa levar ninguém para o mundo. Na realidade, para ele, algumas vezes, é até melhor ter "frutos podres" dentro da igreja, pois poderão contaminar os outros que estiverem por perto. E essa era a realidade dos filhos de Eli e o ambiente em que Samuel fora criado.

Algo interessante sobre essa narrativa é que a Bíblia nos afirma, alguns versículos adiante, que Samuel, mesmo menino, foi usado para profetizar sobre Eli. Dentro de sua própria casa, a voz de Deus era tão escassa, que o Senhor precisou levantar outras pessoas para anunciar que a casa de Eli inteira seria destruída. Esse homem é alguém que deveria ouvir a voz de Deus, porém deixou de escutá-la. Alguém que parou de dar razão à voz do Senhor. Um homem que escolheu honrar e valorizar mais os seus filhos do que a Deus.

A ausência da voz de Deus é um dos perigos mais intensos que podemos correr, pois é ela que traz esperança, renovo, restauração, direção e propósito. Sem isso, andaremos sem rumo, sem objetivos e sem aperfeiçoamento da nossa vida, já que é através do nosso relacionamento com Ele que aprendemos a discernir a Sua voz das vozes do mundo. É por esse motivo que precisamos ouvi-la o tempo inteiro, e não apenas de vez em quando. Deus está falando a todo momento e o que temos de fazer é apenas nos colocarmos à disposição para ouvi-lO. Foi o que Samuel fez:

> Então, veio o SENHOR, *e ali esteve*, e chamou como das outras vezes: Samuel, Samuel. E disse Samuel: Fala, porque o teu servo ouve. (1 Samuel 3.10 – ARC grifo do autor)

Nesse texto, algumas coisas importantes me chamam muito a atenção. A primeira delas é que Deus chama um menino, não um homem. A segunda é que, além de chamar um menino, Ele chama alguém que não tinha cargo nenhum, que não tinha posição. Uma outra coisa que me intriga nessa história é que o Senhor já havia tentado contato com Eli, mas não conseguira, e, por isso, falou com Samuel. E, por último, em vez de falar com algum dos filhos de Eli, que deveriam ser os mais indicados para a tarefa, Deus decide se comunicar com o menino Samuel, que nem da família era. Em outras palavras, o Senhor altera a ordem sacerdotal, escolhendo alguém que não tinha nenhum contato com a voz de Deus naquela época, porque quem deveria ouvi-lO não estava cumprindo o seu papel.

Nesse contexto, acho muito intrigante a maneira como Deus age com o menino. Ele não desiste de Samuel quando este não reconhece a Sua voz algumas vezes, mas permanece no mesmo lugar, esperando que ele voltasse ao quarto. Samuel, pensando ser chamado pelo sacerdote, ia e retornava para o seu quarto, sem saber que quem o chamava era o Senhor.

Mesmo depois de todos esses anos, Deus escolhe manter o mesmo ponto de encontro. O lugar onde O acharemos e ouviremos a Sua voz sempre será o nosso quarto, a sós. Deus pode falar através de outras pessoas, Ele tem poder para falar através de profecias, palavras de conhecimento e até mesmo usar uma mula, como em Números 22. Porém, nada substituirá a maneira como Ele quer falar conosco, diretamente a nós. Há quanto tempo VOCÊ não escuta a voz de Deus? Não o que lhe disseram, mas aquilo que você mesmo escutou d'Ele.

A Bíblia diz que Deus *veio, e ali esteve.* Ele aguardava Samuel no mesmo lugar. Deus não muda a maneira de nos encontrar porque nós saímos do quarto. Ele permanece imutável, por isso o segredo é sempre voltarmos para o ponto de encontro. Tantos correm atrás de profecias, igrejas diferentes, homens e mulheres de Deus que possam lhes trazer direção, alegando que estão desesperados para ouvir a Deus, quando, na realidade, querem ouvir apenas o que eles mesmos querem.

Contudo, apesar de ser aguardado no mesmo lugar, Samuel nunca tinha escutado a voz de Deus antes, então não podia saber que quem o chamava era o Senhor. Se um desconhecido ligasse para você agora, você não saberia quem é, e tudo bem, porque você não tem a obrigação de saber. Ninguém é obrigado a reconhecer uma voz que nunca ouviu. Por outro lado, se você já ouviu a voz, tem de ter compromisso com ela. Se você nunca ouviu a voz de Deus, não é obrigado a reconhecer quando Ele está falando, mas se já ouviu, é seu dever criar intimidade com ela. A questão é que dizemos ouvir a Deus quando Ele nos fala o que queremos ouvir, mas quando recebemos uma resposta contrária do que gostaríamos, afirmamos que Deus não está falando ou que aquilo que escutaram não era de Deus. O Senhor está sempre se comunicando conosco. Porém, para sabermos o que é de Deus ou não, só há uma maneira: provarmos através da Sua Palavra.

Não existe absolutamente nada que Deus falará que seja contra a Bíblia. Nas Escrituras há todas as verdades e respostas que precisamos. Porém, é bem verdade também que o nome da pessoa certa com quem você deve se casar, por exemplo, não estará expresso na Bíblia, mas nela você encontrará os princípios e valores que nortearão a sua vida e todas as suas decisões. Se você realmente tem vontade de escutar a voz de Deus, mais do que qualquer outra coisa, abra a sua Bíblia. Todas as profecias, promessas, sonhos e vontades de Deus para a sua vida estão escritas ali. O nosso problema é que buscamos a voz de Deus em todos os lugares, menos em Sua Palavra. Queremos ouvir a Sua voz, mas não queremos a Palavra.

  Eu fui pastor de jovens por três anos e, certa vez, uma moça chegou para mim e disse que estava pensando em namorar um rapaz da igreja e queria pedir um conselho meu a respeito daquela união. De cara, eu disse que não consentia e que, por diversos motivos, eles não deveriam namorar. Entretanto, a moça, contrariada, disse que toda a minha percepção e palavras eram carnais, não vinham da parte de Deus. Aquela jovem, então, saindo dali, acabou indo para a casa de algumas pessoas que entregavam profecias, e uma delas lhe disse: "Eu vejo uma aliança na sua mão e um véu na sua cabeça, e você vai se casar". Rapidamente, a moça e o rapaz começaram a namorar, porém não demorou muito para que terminassem e seguissem caminhos completamente diferentes um do outro. Quando os aconselhei, não estava profetizando o contrário porque não queria a felicidade deles e nem mesmo ouvi um anjo que sussurrou o possível fracasso daquele relacionamento. Eu conhecia os dois e sabia que aquele relacionamento não tinha como dar certo por uma série de fatores muito delicados. Mas, infelizmente, muitas pessoas quando vão atrás de um conselho, na verdade, querem que o seu desejo seja respondido pela palavra de um homem ou mulher de Deus. Querem que o Senhor corrobore com o seu desejo. Assim, terceirizam as respostas que eles mesmos deveriam ouvir de Deus por meio de suas orações e tempo de leitura bíblica, porque talvez não tenham escutado o que gostariam de ouvir ou porque não querem se dar a esse trabalho. Buscar a vontade e coração de Deus para as nossas vidas exige tempo na Presença e tempo de leitura da Palavra, entretanto muitos não estão dispostos a pagar esse preço. Dessa forma, submetem-se a situações assim, sem saber que todas as respostas que precisam já estão expressas na Palavra. Não necessitamos de uma lista clara do que podemos ou não fazer em cada situação. Os princípios e valores de Deus estão claros na Bíblia e, por essa razão, muitas vezes, ouvir a voz de Deus é apenas seguir aquilo que já foi manifesto em Sua Palavra. Se temos o Seu padrão, agimos como Ele agiria. Todos os Seus pensamentos, coração, caráter e modo de agir estão na Bíblia. Não precisamos esperar anjos descerem dos Céus para nos confirmar o que devemos ou não fazer, porque a Palavra se encarrega de nos direcionar em nossas escolhas. A resposta está na Bíblia. Apenas valorize e mastigue cada frase das Escrituras. Não se preocupe com os mistérios que ainda não consegue entender, preocupe-se em se manter constante nessa busca por mais de Deus através da Palavra e da oração. Mantenha-se sempre no ponto de encontro e disponível para a Voz que te chama. Assim, pouco a pouco, relacionando-se com o Senhor, buscando a Sua face, e se alimentando da Palavra, você passará a discernir a Voz de Deus em seu coração com mais facilidade.

    A história conta que, somente após três vezes que Samuel ouviu o seu nome e correu até o profeta, ele foi instruído a responder: "Fala, Senhor, porque o teu servo ouve".

Eli estava tão insensível à voz de Deus que nem sabia mais como Ele se manifestava. "Talvez seja o Senhor falando com Samuel", pensou ele. O sacerdote demorou para entender que era Deus quem estava falando, tamanha falta de discernimento em que se encontrava. Porém, na quarta vez, ao escutar aquela Voz, Samuel fez conforme Eli havia dito. Há muitas pessoas às quais Deus está tentando fazer contato há muito tempo, e a única coisa que falta para que a comunicação se estabeleça é: "Fala, Senhor, porque o teu servo ouve". Entretanto, não conseguem escutar porque não se posicionam para ouvir, e porque ainda não reconheceram algo simples: Senhor – Servo. Ele fala – Eu escuto. Ele manda – Eu obedeço. "Fala, Senhor – Teu Servo ouve".

O curioso, entretanto, é que, ao se revelar a Samuel, Deus lhe entrega uma profecia a respeito de Eli que já tinha sido dita no capítulo anterior por outro homem de Deus, ou seja, o que o sacerdote recebeu de Samuel não era novidade. Por esse motivo, chega a soar, até certo ponto, como uma redundância da parte divina. O que me faz pensar que talvez aquela mensagem fosse, sim, importante para Eli, mas que, na realidade, o que Deus queria mesmo era tornar a Sua voz conhecida para o menino Samuel. É como se Ele estivesse se apresentando: "Muito prazer! Essa é minha voz, e é ela que você ouvirá a partir de hoje". E, mais do que isso, ouso dizer que, possivelmente, Deus estava usando aquela situação para lhe mostrar o padrão que ele não deveria seguir, afinal Samuel estava inserido naquele péssimo contexto. Deus faz o mesmo conosco. Ele está constantemente chamando pessoas como fez com Samuel. Ele não deseja que O conheçamos através de um relacionamento com a interferência de outras pessoas, mas quer se relacionar conosco pessoalmente, só você e Ele. O tempo inteiro Ele está se apresentando: "Essa é a minha voz!". Tudo o que temos de fazer é ir até o ponto de encontro, o nosso quarto, fecharmos a porta e nos conectarmos com Ele. Dessa maneira, Ele revelará os propósitos, padrões e verdades sobre nós, e não restarão mais dúvidas. Foi isso o que aconteceu com Samuel ao ter contato com a voz de Deus. Por isso, mesmo em meio ao caos da casa de Eli, ele pôde permanecer firme e imune aos maus exemplos daquela família.

Hoje, temos visto e ouvido tantos padrões errados envolvendo pessoas de igrejas, mas o padrão divino ainda não mudou e, apesar de ter acontecido com alguém próximo a você, não quer dizer que essa sentença esteja decretada em sua vida. Só porque os seus pais se divorciaram, não significa que essa é a diretriz de Deus nem que isso acontecerá com você. Não importa se o seu pai foi um espancador, se sua mãe adulterou ou se muitos em sua família foram para as drogas. Em Jesus, tudo se faz novo. A sentença que um dia condenava a sua casa não tem mais poder, a partir do momento em que você se alinha com a voz de Deus e obedece a Sua Palavra. Você não precisa se submeter a um padrão errado, porque o fato de ter sido assim uma vez não quer dizer que precisa ser dessa forma de novo.

Durante muitos anos, eu vivi situações muito complicadas dentro de casa. Na igreja, na frente de todo mundo, era completamente diferente do que era em casa, e isso me feriu e traumatizou em vários aspectos. Eu fui taxado de retardado, burro, recebi palavras malditas e, por muito tempo, ouvi que a minha opinião não valia nada, que a minha palavra não significava coisa alguma. No decorrer de longos anos, eu pensei que eu era mesmo tudo aquilo que diziam a meu respeito. Quantas vezes eu estava sorrindo e cantando na igreja, mas estava destruído por dentro. Eu me sentia tão triste, estigmatizado e carregando um legado tão negativo. E, quando adolescente, eu comecei a receber palavras de Deus dizendo que eu seria um pregador influente da mensagem de Cristo. Eu não conseguia ver futuro naquelas profecias, porque o que eu via dentro de casa não condizia com aquelas verdades sobre mim. Eu pensava: "Eu não vou ser ninguém. Olhe para a minha família; para o bairro onde eu moro. Olhe o que as pessoas enxergam em mim. Nem mesmo os meus líderes acreditam em mim. Isso não combina comigo". Dessa maneira, cada vez mais eu me sentia sufocado e deprimido por mentiras que nunca tinham saído da boca de Deus. Contudo, mais tarde, entendi que o único que deveria ter influência e poder sobre mim era o Senhor, e Ele não pensava absolutamente nada daquilo sobre mim. Apenas Ele sabe quem eu e você somos de verdade, e o futuro que Ele tem para nós é de paz, e não de mal (Jeremias 29.11). Não se deixe enganar, só porque aconteceu em sua família, e até mesmo com você no passado, não significa que você tem de repetir os modelos fracassados. Você não precisa ser infeliz porque saiu de um lugar infeliz. Seja quem a voz de Deus diz que você é, porque essa, sim, é a sua identidade. Não temos de ser fruto das nossas casas, temos de ser frutos da voz de Deus. À medida que conquistamos experiências com Ele, nos tornamos quem a Sua voz afirma que somos, ainda que o mundo não acredite, ainda que nem mesmo nós acreditemos, persevere em ouvir o que Ele diz a seu respeito, e você verá, pouco a pouco, essas verdades se tornando a sua realidade. Escute a Voz. Crie intimidade e apreço pela Voz, e ela direcionará e capacitará a sua vida para que você viva o novo que Ele tem especialmente para você.

Samuel, ao voltar para o seu quarto, era um menino, mas após ouvir a voz de Deus e sair de lá, ele havia se tornado um profeta. Todo Homem tem um antes e um depois da voz de Deus. E como é bom estar perto de pessoas que valorizam, obedecem e amam a Voz e Presença do Senhor. Geralmente, elas não reclamam, não desistem, não falam mal dos outros, não agem por impulso ou com imaturidade. Porque quem escuta a voz de Deus se transforma em alguém tratado, maduro, confiante, esperançoso, visionário.

A única coisa que precisamos fazer é:

> Clama a mim, e responder-te-ei, e anunciar-te-ei coisas grandes e firmes que não sabes. (Jeremias 33.3)

Coloque-se na posição de ouvinte o tempo inteiro. Corra atrás da voz e presença de Deus, porque Ele prometeu que nos responderia e revelaria mistérios para nós. Quem ouve a voz do Senhor tem a capacidade de enxergar e discernir o que ninguém é capaz, e Ele quer que isso aconteça. Contudo, se os sacerdotes não se levantarem, ou se falharem, Deus levantará outros, mesmo que sejam meninos, porque nenhum lugar ficará sem a Sua voz. Samuel, além de jovem, era a pessoa mais improvável para estar ali. Pela lógica, ele jamais seria um sacerdote. Ele não fazia parte de uma linha sacerdotal e não tinha ligação alguma que o colocasse naquela posição. Porém, mesmo antes de nascer, ele já se encontrava disponível para Deus e Sua voz, mesmo que no começo nem soubesse com o que ela se parecia. Se Eli tivesse ouvido a Voz, se arrependido e mudado a sua maneira de agir, Samuel não precisaria ser levantado sacerdote, ele seria apenas profeta, e Eli continuaria como o intermediador entre Deus e o povo. Mas ele não se posicionou. Algo crucial que precisamos manter em mente é que não basta apenas ouvir a Voz, é necessário fazer algo a respeito. Naquele momento, Deus estava requerendo santidade, obediência e honra de Eli e seus filhos, mas eles permaneceram como se nada estivesse acontencendo. Apenas escutar a voz de Deus sem fazer algo prático em seguida é o mesmo que autossabotagem, que fadar o futuro ao fracasso. Porque, apesar de Deus nos direcionar e revelar a Sua vontade perfeita, a mudança depende dos nossos passos e da nossa resposta, afinal temos o livre arbítrio.

    Por outro lado, é importante mencionar também que muitos até se colocam em posição de ouvir a Voz e à disposição para dar passos práticos para a sua mudança, mas, por não entenderem como o processo de comunicação se dá, acabam estagnados, pensando que não ouviram a Deus, quando, na verdade, só precisam entender a maneira como Ele já está falando.

Na faculdade, eu me lembro de ter tido uma aula sobre comunicação que mudou muito a minha perspectiva sobre o nosso relacionamento com Deus. O professor comentou que para que a comunicação seja perfeita é necessário que haja uma mensagem, um emissor, um receptor, um código, um contexto e um canal. O emissor envia uma mensagem para o receptor utilizando um canal e um código específico. E tudo isso precisa ter um contexto para que faça sentido para quem está recebendo a mensagem. Ou seja, se o meu código com você é português, eu não posso querer manter uma conversa em inglês, porque, se você não falar esse idioma, não haverá conversa.

Eu me lembro de uma história muito engraçada envolvendo a minha mãe. Anos atrás, ela e meu pai receberam um pastor americano em casa, mas o problema é que nenhum deles falava inglês. Ela, sempre muito prestativa e atenciosa, fez um café da manhã imperial para o pastor. Mas como não falava a mesma língua dele, resolveu perguntar se ele queria mais e se estava gostando de tudo em português mesmo. Fez alguns gestos para acompanhar a fala, mas não obteve muito retorno, porque o código deles era diferente. Com o fracasso momentâneo da conversa, minha mãe resolveu sair da cozinha, mas voltou um tempo depois aos berros, dizendo: "PASTOR!? O SENHOR QUER MAIS CAFÉ? ESTÁ GOSTANDO

DO QUE PREPAREI?". Na cabeça dela, falar mais alto era o mesmo que falar em inglês. Mas, apesar da tentativa, o pastor, a partir dali, assustado, estava entendendo menos ainda o que acontecia. Quando o código não é o mesmo, não adianta espernear ou gritar, porque a compreensão não ocorrerá.

Deus ainda se comunica através do mesmo código, Ele não mudou e nunca mudará. O idioma de Deus ainda é o mesmo: santidade. Sem uma vida de santidade, é impossível ouvir a voz de Deus e ter comunhão com Ele. Quando buscamos santidade, não existe a menor possibilidade de não sentirmos e ouvirmos a voz de Deus, porque o código está alinhado.

Todavia, em todo processo de comunicação pode existir o que chamamos de ruído. Dessa forma, mesmo com o código alinhado, as falhas podem contaminar o diálogo. Adão e Eva, quando estavam no Jardim, por exemplo, não deixaram de se comunicar com o Senhor, mas foram atrapalhados por um ruído na conversa. Eles faziam tudo com Deus. E mesmo após terem pecado, Deus não deixou de encontrá-los na viração do dia. Ele não desistiu de tentar se comunicar. E como percebemos o Seu amor nisso! Não existem barreiras ou obstáculos grandes demais que possam fazer com que Deus desista de nos ter por perto. Em contrapartida, quando os ruídos existem, eles não têm como simplesmente serem ignorados. Algumas pessoas até estão perto de Jesus, mas há tantos ruídos atrapalhando a conversa, que não conseguem ouvir absolutamente nada. Por isso, pare de permitir com que ruídos contaminem a sua conversa com o Senhor. Pare de ouvir os lixos que você escuta; pare de andar com pessoas que só o afastam de Deus, pare de assistir a programas sujos, porque tudo isso gera ruídos em você. É em razão disso que você chega na igreja e diz que Deus não fala com você. Na verdade, Ele fala, mas você tem tantos ruídos sujos aí dentro que não consegue mais escutar. Despedace os ruídos e volte a ter intimidade com Deus. Volte a ouvir a Sua voz.

Samuel não tinha intimidade com Deus quando O ouviu chamá-lO das primeiras vezes. Ele não reconhecia a voz do Senhor, mas, no momento em que se posicionou e se colocou à disposição, passou a ter o seu próprio relacionamento com Ele e ser transformado. De menino, ele se tornou profeta. Quando nos expomos à voz de Deus e ao relacionamento verdadeiro com Ele, passamos de meninos e meninas, para aquilo que Ele nos chama para ser e fazer: homens e mulheres que reconhecem a Sua voz e se permitem ser transformados por ela. Só o que temos de fazer é responder: "Fala, Senhor, pois o teu servo ouve". Não importa se você esteve afastado e não consegue mais reconhecer a voz de Deus ou se nunca teve um relacionamento profundo com Ele. Deus permanece no mesmo ponto de encontro, esperando por você até que você reconheça a Sua voz e responda: "Fala, Senhor, porque o teu servo ouve".

Mas lembre-se, Deus nunca mudará o Seu código. Ele não mudará o Seu jeito de agir, não mudará o ponto de encontro, não mudará quem Ele é. Deus é imutável e constante. Sendo assim, mesmo com a entrada dos ruídos, Ele não começará a berrar para se fazer ouvido. Ele permanecerá com o mesmo tom de voz, de maneira que, apenas chegando mais perto e deixando os ruídos para trás, você será capaz de escutá-lO.

CAPÍTULO 10

Imprudente Amor

Dizem que amar é verbo intransitivo. Que é fogo que arde sem se ver. A coisa mais forte do mundo. Dizem que ele é sentimento, eterno, constante e que tem um monte de outros significados. Não há ninguém que não tenha uma opinião ou definição para ele. Por esse motivo, o amor é poetizado, cantado, representado. Ele é "sentido" e defendido. Nunca na História se falou tanto a seu respeito. Jamais suplicamos tanto por ele ou levantamos a sua bandeira tão alto. Ao mesmo tempo, provavelmente, nunca abafamos tanto a sua voz. Talvez porque o que temos definido como amor, na realidade, não tenha nada a ver com ele. Talvez porque desaprendemos a amar e com o tempo passamos a achar normal mendigar as migalhas de sentimento que um coração ferido pode oferecer. Ou ainda, porque talvez nunca aprendemos a amar de verdade.

Entretanto, o amor, ao contrário do pensamento popular, é paciente, uma virtude pouco cativante, ainda que muito poderosa. O amor não é orgulhoso, não procura os seus interesses, não guarda rancor, não inveja nem se vangloria.

Ele se alegra com a verdade, sofre, acredita e suporta qualquer coisa. O amor é bondoso e nunca falha (1 Coríntios 13). É compromisso, e não envolvimento, e por isso pode durar para sempre. É desse tipo de amor que temos sede, e para ele fomos criados: tanto para dar como para receber. Contudo, ele custa. Não um pedaço, mas tudo. E essa talvez tenha sido uma das maiores lições que aprendi com a parábola do Bom Pastor, descrita em Lucas 15.

Quando eu era menino, costumava ouvir uma canção baseada nessa passagem, que dizia:

> Eram cem ovelhas, juntas no aprisco
> Eram cem ovelhas, que amante cuidou
> Porém numa tarde, ao contá-las todas
> Lhe faltava uma, lhe faltava uma e triste chorou

Na época, essa música, além de popular, era aclamada por todos, inclusive por mim. Eu achava tão linda a maneira como o pastor era retratado e o amor que tinha por suas ovelhas. Entretanto, com o passar dos anos, percebi que havia algo na música que não era mencionado na Bíblia. A canção dizia que as noventa e nove ficavam no aprisco, o que passa uma ideia de proteção e segurança, mas não é isso que a Palavra nos revela:

> Que homem dentre vós, tendo cem ovelhas, e perdendo uma delas, não deixa no deserto as noventa e nove, e vai após a perdida até que venha a achá-la? E achando-a, a põe sobre os seus ombros, jubiloso.

> E, chegando a casa, convoca os amigos e vizinhos, dizendo-lhes: Alegrai-vos comigo, porque já achei a minha ovelha perdida. (Lucas 15.4-6)

Aquele homem deixa as noventa e nove ovelhas no **deserto** por apenas uma que havia se perdido. O que nos dá a certeza de que, quando sai em busca da ovelha perdida, as outras noventa e nove não ficam protegidas. Imagino aquele dono, que aqui exerca o papel de pastor, fazendo a contagem de todas as suas ovelhas e, ao se dar conta da centésima que havia se perdido, decide colocar em risco as outras que já estavam garantidas e seguras, para procurar a única que havia se distanciado do rebanho. E, apesar de não soar tão popular, é com isso que o amor se parece para mim. Ele não aceitava perder nenhuma delas, nem a maioria daquelas ovelhas seria capaz de suprir o amor que o pastor tinha por aquela que tinha se perdido. Não porque ela era mais especial do que as outras, mas porque ela era tão especial quanto elas.

Geralmente, quando lemos a Bíblia, acabamos filtrando o seu conteúdo pelas músicas que cantamos, e isso pode ser um problema quando essas canções nos ocultam a essência real da Palavra, como é o caso da música das *Cem Ovelhas*. Não que tenha tido má intenção do compositor, mas o fato de, talvez, não ter compreendido a profundidade da parábola, o fez trocar a palavra deserto por aprisco, que é um lugar protegido para a ovelha.

É confortável cantar ou imaginar a história da perspectiva daquela canção, afinal, existe provisão, certeza e abrigo. Já a versão original, pela ótica humana, é inadmissível, porque ninguém sacrifica noventa e nove por uma. A nossa lógica diz que isso não faz sentido. E é por isso que somos tão limitados quando se trata de amor. Porque o nosso amor é lógico, é contábil. Nós fazemos conta para amar. Estabelecemos padrões para amar. Aliás, se uma fugisse, a nossa reação, com certeza, seria olhar para as noventa e nove e dizer: "Vocês são muito melhores do que aquela nojenta que foi embora... ainda bem que ela se foi, porque a verdade é que ela só atrapalhava quando estava junto! Ela era sempre aquela que queria desvirtuar vocês! Eu nunca gostei dela mesmo... ela sempre teve um sentimento rebelde; nunca obedeceu! Ainda bem que ela foi e não levou ninguém. Vou até contar de novo para me certificar de que ninguém ouviu o conselho dela e foi embora também". Nós somos assim. Contabilizamos tudo. Por isso que, quando nos deparamos com o amor de Deus, ficamos paralisados porque ele nunca combinará com aquilo que pensamos que é amor.

 Uma das coisas que mais me impressiona é o fato de que o amor não é simplesmente parte do agir de Deus, e sim da Sua natureza. As Escrituras não reforçam que Deus age em amor, mas que Ele mesmo é amor. Ou seja, quando Ele age dessa maneira, só o faz porque o amor é parte de Sua essência. Quando Ele nos criou, fomos feitos à Sua imagem e semelhança, o que quer dizer que nos parecemos com Ele em ações, raciocínio e caráter. Contudo, apesar da semelhança, a nossa capacidade de amar não consegue ter raízes tão profundas, a menos que sejamos guiados e transformados por Ele. O Espírito Santo nos habilita não apenas a sermos aperfeiçoados em amor, como também em nossa maneira de amar. Dessa forma, passamos a amar como Deus faz, ainda que o nosso amor seja falho e inconstante.

Muitas vezes, não conseguimos mensurar ou confiar no amor de Deus porque o comparamos com o nosso tipo de amor condicional e egoísta. O amor de Deus não funciona como o nosso ou se limita à nossa maneira de amar. O Seu amor é incondicional, o que significa que não existe condição que possa Lhe fazer mudar de ideia ou abalar a intensidade com que Ele nos ama. E Ele nos ama não porque fazemos coisas certas, mas porque não pode negar a si mesmo; Deus é aquilo que oferece: amor. É por essa razão que "o amor de Deus por nós é um assunto muito mais seguro de se pensar do que o nosso amor por ele", como disse C. S. Lewis.

Ao longo de toda a Bíblia, sempre foi nítido o quanto Deus quis tornar público o Seu amor por nós. As provas de cuidado, bondade e amor eram constantes e escandalosas, e continuam sendo. Ele nunca mudou. Nunca deixou de demonstrar o Seu anseio violento de nos ter por perto, independentemente de quem nós éramos e somos. Ele nunca mediu esforços para permanecer conosco. Jamais Se entregou em pedaços. Pelo contrário, Ele sempre Se deu por completo, inclusive, não poupou o Seu próprio Filho, Aquele a quem mais amava:

> Nisto consiste o amor: não em que nós tenhamos amado a Deus, mas em que ele nos amou e enviou seu Filho como propiciação pelos nossos pecados. (1 João 4.10)

A verdade é que esse amor assusta no começo. Não sabemos como agir, retribuir ou nos comportar diante dele. Afinal, que tipo de pessoa sacrificaria o próprio Filho por quem quer que seja? Isso não faz sentido. Mas, da perspectiva desse amor, talvez faça. Deus não reteve o que tinha de melhor, ainda que Sua vontade fosse contrária, para trazer de volta as ovelhas que haviam se perdido do rebanho. Porque o amor é o que o amor faz.

Penso que em diversos momentos, por causa da rotina ou apatia, acabamos nos acostumando com a cruz: a maior prova de amor que já existiu. Esquecemos do sofrimento e morte de Cristo, e até mesmo dos benefícios que a cruz nos trouxe. Por causa disso, muitas vezes, acabamos vivendo como órfãos, e não como filhos, desprezando o que temos acesso por meio de Jesus. A Palavra nos garante que:

> ... ele foi transpassado por causa das nossas transgressões, foi esmagado por causa de nossas iniquidades; o castigo que nos trouxe paz estava sobre ele, e pelas suas feridas fomos curados. (Isaías 53.5 - NVI)

Em outras palavras, Jesus não veio apenas para perdoar os nossos pecados e nos dar a vida eterna, mas para trazer também a libertação de nossas iniquidades, a paz para nossa mente e coração, além da cura para o nosso corpo e alma.

De acordo com C. Truman Davis, um médico famoso por discutir a crucificação de Jesus da perspectiva médica, escreveu que o sofrimento físico do Messias começou no

Getsêmani, quando Este suou sangue, um fenômeno que, apesar de raro, foi literal. Davis afirma também que após a prisão e apresentação no Sinédrio, Jesus sofreu o primeiro traumatismo físico, sendo, em seguida, esbofeteado no rosto por alguns que estavam no local. Logo cedo, já surrado, com hematomas, desidratado e provavelmente exausto por não ter dormido, Jesus é levado até Pôncio Pilatos, que lava as suas mãos da condenação e O envia à crucificação por pressão da multidão presente.

As chicotadas, segundo Truman Davis, só eram realizadas quando o acusado era despido de todas as suas roupas e suas mãos amarradas em um poste, acima da cabeça. Assim que colocaram Jesus nessa posição, iniciaram as torturas. O chicote, feito de várias tiras pesadas de couro e duas pequenas bolas de chumbo amarradas nas pontas de cada uma delas, era atirado em direção aos ombros, braços e pernas do prisioneiro Jesus. O médico explica que, após as primeiras chicoteadas, a pele foi cortada, mas, com a continuidade das agressões, os tecidos debaixo dela foram sendo afetados, além dos capilares e veias que se romperam, e uma hemorragia arterial dos vasos da musculatura que foi desencadeada como consequência. Ao final, a pele das costas estava pendurada em tiras e toda a área estava desfigurada e ensanguentada. Nesses casos, o espancamento, conforme os escritos e pesquisa de Davis, só era encerrado quando o acusado estava prestes a morrer.

Ali, à beira da morte, quando foi desamarrado, os soldados romanos começam a zombar do Filho de Deus, não apenas com palavras, mas lançando uma capa vermelha sobre Seus ombros, colocando uma coroa de espinhos sobre Sua cabeça e um pedaço de pau em Suas mãos. "Salve, Rei dos judeus", escarneciam eles. A coroa, feita de um pequeno galho flexível, coberto de longos espinhos, foi pressionada sobre a cabeça de Jesus, causando uma intensa hemorragia, já que o crânio, conforme explica o médico, é uma das regiões mais irrigadas no nosso corpo. Após a zombaria, retiraram o manto de Suas costas, seguramente provocando uma dor torturante devido ao sangue que havia grudado nas feridas. Estas, outra vez estimuladas, começaram a sangrar novamente.

A caminho de Gólgota, devolveram as roupas de Jesus, em respeito ao costume judeu. Enquanto percorria o trajeto com o pedaço horizontal da cruz amarrada sobre Seus ombros, o peso do madeiro unido à grande perda de sangue fizeram Jesus tropeçar e cair. De acordo com o doutor, possivelmente naquele momento, a pele e os músculos foram rasgados ainda mais. Jesus, então, é ajudado por um estrangeiro chamado Simão, que O auxilia a carregar a cruz até o local da crucificação, a mais ou menos 800 metros de distância de onde estavam.

A Bíblia não detalha como o processo de crucificação aconteceu. Talvez por ser um tipo de prática extremamente comum na era do Império Romano. Porém, o doutor Davis esclarece que, após ser colocado de costas no madeiro, Jesus tem Seus pulsos perfurados por cravos de ferro quadrados que, além de pesados, eram enormes. O soldado, depois de encontrar a depressão entre os ossos de Seu pulso, encrava o prego, repetindo a mesma ação no pulso faltante. Um pé é colocado em cima do outro, com as pernas estendidas, e o cravo é transpassado neles. A cruz é erguida e no topo pregam a Sua acusação: "JESUS NAZARENO, O REI DOS JUDEUS". Com o peso e a gravidade, o corpo cai lentamente fazendo ainda mais pressão sobre os pregos, cérebro e nervos medianos. A dor era insuportável.

Ao Seu lado, dois ladrões com a mesma sentença, um de cada lado. Todos assistiam à crucificação do Messias. Alguns lançavam sorte com os pedaços de Suas vestes, enquanto outros estavam aos Seus pés chorando. Já pendurado, o Mestre alternava o peso, esticando-Se para tentar distribuir a pressão. Nesse momento, já agonizando de dor por causa da tortura, ondas intensas de cãibras começam a circular por todo o Seu corpo, o que dificulta a ação de empurrar-Se para cima. Truman Davis escreve também que, por ter os braços esticados e pendurados, os músculos peitorais de Jesus acabaram ficando paralisados, e os intercostais incapazes de se mover, o que resultou no ar sendo aspirado pelos pulmões, mas não podendo ser expirado. Porém, com o acúmulo de dióxido de carbono nos pulmões e no sangue, as cãibras diminuíram e possibilitaram com que Ele expirasse e inspirasse oxigênio, permitindo com que conseguisse falar algumas frases como a de Lucas:

... Pai, perdoa-lhes, porque não sabem o que fazem. (Lucas 23.34a)

"Jesus passou horas de dor sem limite, ciclos de contorção, câimbras nas juntas, asfixia intermitente e parcial, e intensa dor por causa das lascas enfiadas nos tecidos de suas costas dilaceradas, conforme Ele se levantava contra o poste da cruz. Então, outra dor agonizante começou. Uma profunda dor no peito, enquanto o Seu pericárdio [membrana que envolve externamente o coração] se enche de um líquido que comprime o coração. A perda de líquidos dos tecidos atinge um nível crítico – o coração comprimido se esforça para bombear o sangue grosso e pesado aos tecidos – os pulmões torturados tentam lutar freneticamente para inalar pequenos goles de ar. Os tecidos, marcados pela desidratação, mandam seus estímulos para o cérebro. O corpo de Jesus chega ao extremo, e Ele pode sentir o calafrio da morte passando por Seu corpo. Este acontecimento traz as Suas próximas palavras – provavelmente, um pouco mais que um torturado suspiro: [1]"Está consumado!"".

Ah, o amor de Deus... escandaloso, incompatível, maravilhoso, doce e violento amor de Deus. Quando se trata do Seu amor, nenhuma distância é longa demais, nenhuma dor é poderosa o suficiente e nenhum esforço é exagerado. Porque o Pastor é completamente apaixonado pelas ovelhas. Quando uma se perde, Ele se perde atrás dela também. Não é Sua culpa; Ele não consegue negar a Si mesmo. O Seu coração não resiste quando alguém vai embora. É como se Ele estivesse o tempo inteiro olhando para mim e para você, dizendo: "Se ele (a) fugir, Eu preciso ir atrás, porque não consigo mudar quem Eu sou".

---

1. http://www.worcesterchurch.org/moses/wp-content/uploads/2012/06/Medical_Account-Crucifixion.pdf

Esse amor, que se permitiu dilacerar, torturar, rasgar, humilhar e destroçar, é o mesmo que corre em nossa direção quando nos perdemos. Não existe altura, profundidade, pessoas, seres espirituais, reinos, tempo ou qualquer outra coisa que possa nos separar desse amor. E ainda que o rejeitemos, ele permanecerá intacto, constante e fiel, a ponto de deixar noventa e nove ovelhas por apenas uma que havia se perdido.

A religião e a História, por muito tempo, tentaram mascarar essa verdade, nos fazendo pensar que Jesus não agiria assim. A verdade divina briga com a nossa racionalidade humana, que diz que Jesus é cauteloso, que joga seguro e é ponderado. "Esse mesmo Jesus jamais deixaria noventa e nove ovelhas no meio do deserto para procurar quem quer que fosse". "NÃO! NÃO, NÃO, NÃO! HÁ UM ERRO NA PALAVRA!", muitos dizem. "Jesus não poderia agir assim. Isso não faz sentido".

Há pouco tempo, ouvi uma canção que me fez lembrar da antiga música que cantava quando pequeno, mas com uma diferença: essa demonstrava quem Ele é de verdade. *Reckless Love* é o seu nome no original, ou *Ousado Amor* na versão traduzida. Quando a escutei pela primeira vez, chorei feito uma criança na frente dos que estavam perto de mim. A cada estrofe, eu conseguia me enxergar naquela letra. Eu sou um fugitivo de Deus e Ele foi atrás de mim. Ninguém foi, mas Ele foi. Foi e não resistiu ao menino, à ovelhinha ruim que sempre deu problema, que não tinha caráter, que sempre incomodou. Não resistiu porque é ovelha.

A versão traduzida diz *Ousado Amor*, mas como queria entender a música um pouco mais profundamente, fui atrás da original e descobri que ela era ainda melhor do que a que eu tinha ouvido. Isso porque *Reckless Love* quer dizer "imprudente amor", o que é muito mais audacioso de ser dito, já que imprudente é aquele que assume o risco daquilo que sabe que vai dar errado. Imprudente é fazer algo que todo mundo diz para não fazer. Assumir uma responsabilidade que ninguém assume. Imprudente é quem parece não medir as consequências do que está fazendo.

Então, a Bíblia nos conta a respeito da ovelha que se perdeu, dizendo que o pastor saiu atrás dela. Não foi você que escolheu Jesus, Ele te escolheu. Você nunca foi atrás de Jesus, Ele foi atrás de você. Nós só amamos porque Ele nos amou primeiro. Você e eu nunca teríamos a capacidade de procurar por um amor tão incrível assim. Mas esse amor, o Amor mais incrível do mundo, foi atrás de você e de mim, e nos achou. E que bom que Ele nos achou, porque senão estaríamos perdidos até hoje.

O final da parábola é algo que sempre chamou a minha atenção. Após resgatar a ovelha, a Palavra não afirma que aquele homem voltou para o deserto para mostrar às outras que havia encontrado aquela que tinha se perdido, mas que vai para a casa com a ovelha no ombro, porque mais vale uma que se arrepende do que noventa e nove que não precisam de arrependimento:

> Digo-vos que assim haverá alegria no céu por um pecador que se arrepende, mais do que por noventa e nove justos que não necessitam de arrependimento. (Lucas 15.7)

Algo interessante que percebi enquanto meditava nessa passagem é que, na verdade, as noventa e nove ovelhas nunca existiram. Porque não há ninguém que não precise de arrependimento. Não existe ninguém que não precise dos cuidados, perdão e amor do Pastor. Só ficam no deserto aqueles que pensam não precisar de arrependimento e do amor de Deus.

Há alguns meses, decidi pesquisar mais a respeito dos pastores de ovelhas em Israel e descobri uma particularidade muito interessante em relação ao tratamento dessas ovelhas por parte desses profissionais. Li uma história que dizia que alguns turistas estavam no país com um grupo guiado, quando viram um pastor correndo atrás de uma ovelha que tinha fugido. Assim que a pegou no colo, ele quebrou a sua patinha e continuou carregando o frágil animal no colo, levando-a para mais perto do rebanho. Os estrangeiros, indignados com aquela aparente crueldade, começaram a questionar o guia responsável pela excursão, que, como falava a língua daquele homem, aproximou-se dele, explicou a situação e começou a traduzir o que ele dizia. Ao contrário do que o grupo havia pensado, o pastor explicou que amava de verdade aquela ovelha. Ela, por outro lado, tinha uma personalidade muito difícil, às vezes rebelde, e já tinha fugido em outros momentos. Como ela poderia ficar em perigo longe dele, graças a predadores mais fortes e maiores do que ela, ele teve de quebrar a pata dela, porque essa era a única maneira de a ovelha precisar ficar no seu colo até se recuperar completamente. Enquanto isso acontecesse, o animal seria cuidado, alimentado e dormiria em seus braços e, assim, através daquele amor, ela lhe seria fiel pelo resto de sua vida.

O que nos falta, muitas vezes, é enxergar a cena completa. Temos uma mania estranha de sempre questionar o amor ou a maneira de Deus agir em nossa vida, como se Ele não tivesse provado o bastante o quão confiável é. Julgamos como os estrangeiros da excursão em Israel, sem antes sabermos quem aquele pastor realmente era. A verdade é que nem sempre entenderemos os caminhos de Deus, mas se queremos andar com Ele tudo o que precisamos fazer é confiar; e confiança só vem por meio de relacionamento. As Escrituras dizem que:

> As minhas ovelhas ouvem a minha voz; eu as conheço, e elas me seguem. (João 10.27)

As ovelhas reconhecem a voz do pastor porque eles se conhecem, e, quando isso acontece, aquelas sabem quem o pastor é de verdade. Elas não precisam de todas as respostas, só precisam estar perto do pastor.

A parábola termina com o pastor levando a ovelhinha para casa, jubiloso, porque a havia encontrado. Enquanto pesquisava a respeito do pastoreio, descobri algo que me comoveu ainda mais nesta história. A contagem das ovelhas era sempre feita no final do dia, então, o pastor caminhava o dia inteiro com elas, e, ao cair da noite, contava cada uma e as levava para o aprisco para que passassem a noite. Todavia, a parábola nos diz que aquele homem, em vez de levar as ovelhas para o aprisco, sai atrás da única que havia se perdido. Na hora mais fria do deserto, que é quando anoitece, e sem prazo para voltar, o pastor abre mão de seu conforto para ir atrás de quem não merecia. A cruz é justamente isso. Jesus decidiu colocar de lado toda a Sua glória, abandonou o Seu conforto, trono, até mesmo a presença do Pai, para ir atrás de nós; porque o amor assume esse risco. No dia em que Ele foi crucificado e ressuscitou, nos encontrou todos de uma vez só, como aquele pastor achou a sua ovelha perdida. E hoje todos podemos desfrutar do Seu colo. Só não está no colo d'Ele quem prefere ficar no deserto ou quem decide fugir mesmo sabendo que Ele é perdoador e pode mudar a nossa história. Comigo demorou 19 anos. Eu tinha essa idade quando fui verdadeiramente encontrado, e me deixei ser pego no colo para voltar para casa. Depois que entendi o poder desse amor, fugir já não faz mais sentido, porque descobri que o amor do Pastor é imprudente, mas é por mim. E se existe imprudência maior do que entregar o próprio Filho na cruz do calvário por ovelhas que fugiriam o tempo inteiro, é por esse Homem que eu quero viver para sempre.